CREATIVITY33

창의성의
결정적 순간
33가지

CREATIVITY33

창의성의 결정적 순간 33가지

AI시대에는 누구나 창의적이어야 한다
원하는 순간에 꺼내어 쓸수 있는 창의성의 비밀!

박현정 지음

🐾 핑크플래닛

창의성은 어제와 다른 오늘, 오늘과 다른 내일을 만든다

광고회사에서 일하면서 대한민국광고대상, 해외광고제, 공익광고제 등 국내외 광고제에서 많은 상을 수상했다.

회사에 다닐 때는 창의적인 것이 힘들었지만 대체할 수 없는 즐거움을 주었고 회사를 창업한 후에는 힘들지만 예측할 수 없는 사업의 창의성에 매료되었다. 대학원에서 창의성에 관한 연구를 하는 동안에는 창의성을 실험을 통해 입증하기 쉽지 않아 힘들었지만 어렵게 입증해 내었을 때는 행복했다.

그러고 보니 언제나 창의적이어야 했고 창의성에 관심이 있었으며 창의적으로 살고 싶었던 것 같다. 일하고 공부하고 강의하고 생활하면서 창의적인 사람들을 많이 만났고, 그 과정에서 창의성의 폭이 넓어져서 좋았다. 세상에 좋은 것들이 많지만 창의성은 누구나 노력하면 찾아오는 선물이고 도전해볼 만한 가치가 있다고 생각한다. 왜냐하면 창의성은 어제와 다른 오늘, 오늘과 다른 내일을 만들고 그래서 내일을 살아볼 만한 이유가 되기 때문이다.

창의적인 아이디어를 내기 위해 늘 함께 했던 크리에이티브한 동료들, 연구중에 함께 했던 교수님들과 강의 중 좋은 피드백을 주었던 학생들, 그리고 늘 함께 해준 가족들과 응원해준 친구들에게 고마움을 전하며 이 모든 과정에 함께 해주신 하나님께 깊이 감사드린다.

AI시대에는 누구나 창의적이어야 한다.
창의성이 곧 개성이며 고유성을 말해주기 때문이다

　AI에 대한 관심이 뜨겁다. 나와 AI는 어떤 관계를 가지게 될까? 라는 주제가 모두의 관심인 것 같다. 인간이 하기 싫어하는 일을 AI가 하는 건 좋은데 내가 하려는 혹은 하고 싶은 일까지 AI가 하게 된다면? 이는 인간 고유의 창의성까지도 AI가 대신하거나 더 잘할 수 있을까하는 물음과도 맞닿아있다. AI가 우리의 일상에 깊숙이 들어온 이 순간이야 말로 인간 고유의 창의성에 대해 좀 더 깊이 생각해보는 것이 의미있다고 생각되어 그동안 경험하고 연구한 인사이트들을 모아 책을 쓰게 되었다.

　창의성을 갖기 힘든 능력으로 생각하기 쉽다. 창의성을 나만의 방식으로 축적된 고유의 기술이며 경험적으로 쌓아온 인사이트라고 생각하면 어떨까?

기술을 연마하듯 노력하고, 경험을 통하여 내 안에 축적하여, 언제든 원하는 순간에 끄집어 내어 쓸 수 있다면 나의 창의성은 남 달라질 수 있다. 이 책은 창의성을 가질 수 있는 33가지 결정적 순간을 포착하여 창의성을 연마하고 축적할 수 있는 방법을 제시할 것이다. 창의성이 특별한 사람만이 가질 수 있는 것이 아니라 누구나 원하는 만큼 성취할 수 있는 고유의 기술이며 인사이트임을 보여주고자 한다.

　또한, 창의적이 될 수 있는 모든 빛나는 순간을 모아 한 눈에 볼 수 있게 제시했다. 무엇에도 대체되지 않고, 리딩할 수 있고 자가발전하는 나만의 창의성을 발견하고 실천해보자!

CONTENTS

창 의 성 에 관 하 여

창의성이란

창의성을 필요로 하는 일을 해온 나는 오랫동안 어떻게 하면 늘 창의적일 수 있을까?에 대한 고민을 많이 하였다.

도대체 창의성은 무엇이고 그 근원은 어디에서 오는 것일까 생각해 보았지만 정확히 그 실체를 알기 어려웠다. 가장 문제는 언제나 창의적이어야 하는데, 적어도 원할 때에는 꼭 창의적이어야 하는데 아닐 때가 더 많다는 것이다. 하지만 오랫동안 창의적인 일을 하면서 창의성이 피어나는 순간은 불현듯 찾아오고 분명히 경험할 수 있었다.

창의성은 변치 않는 논문의 일관된 주제이기도 했다. 일을 하면서 경험한 창의성을 이론과 가설을 통해 실험으로 경험적으로 검증해보고 그 원인과 결과에 대해 생각해보기도 했다. 눈에 보이지 않고 만져지지도 않지만 그 순간을 누구나 경험하고 느낄 수 있는 창의성은 무엇인가?

창의성에 대한 심리학 연구에서는 창의성을 대체로 새로움/독창성Newness/Originality과 유용성/적절성Usefulness/Appropriateness의

두 차원으로 개념화한다. 새로움/독창성은 일탈성Divergence으로, 유용성/적절성은 관련성Relevance, 연결성Connectedness, 의미성 Meaningfulness 등으로 개념화되는데, 사용되는 표현과 구체적인 정의는 조금씩 다르지만 기본적인 의미는 비슷하다. 우리가 일상에서 자주 쓰는 창의성의 의미도 기본적인 의미는 대체로 비슷하지만, 분야에 따라 조금씩 다른 정의가 가미된 것이다.

왜 창의성인가?

왜 우리는 창의성에 관심이 많은가? 그리고 창의성의 효과는 무엇일까?

창의성은 새로운 자극으로 인지를 멈추려는 욕구를 지연시켜서 콘텐츠를 더 보게 만드는 독창성이다. 익숙치 않은 새로운 자극이 발생할 때 지나치지 않고 주의를 기울여 정보처리를 하게 하는 탁월한 독창성이다. 또한 일상에서 벗어난 자극을 받아들일 때 그 의미를 이해하고 공감하게 하는 일탈적인 새로움이기도 하다.

창의성은 주의와 동기 및 정보처리의 깊이를 높이고, 정보에 대한 높은 수준의 인식과 기억을 만들어 내는 강력한 힘이 있다. 독창성에 의해 자극되는 정보처리 동기는 이해 욕구를 일으켜서 익숙한 자극에 대한 인지를 종결하려는 욕구를 지연시켜 자발적으로 노력해서 심도있게 정보를 처리하고 저장하게 한다. 창의성이 높은 작품을 대할 때 방어적 판단을 줄이고 낯선 정보를 적극적으로 처리하려는 노력을 하게 되는 것처럼 말이다.

이처럼 창의성은 커뮤니케이션과 설득을 하려고 할 때 인지적 절약자인 사람들의 인지 과정에 적극적으로 개입하여 자발적인 변화를 일으킬 수 있는 강력한 힘을 가지고 있다.

창의성은 어디에서 오는가?

창의성이 필요한 광고회사에 입사했을 때 나의 창의성은 항상 도마 위에 올려졌다. 매일의 회의에서 뭔가 새로운 아이디어를 보여줘야 했고 실제로 제작물이 나오기까지 수없이 많은 아이디어를 내고 또 내어야 했다. 창의적인 아이디어를 내기 위해 항상 좀 더 좋은 것은 없을까 하는 기준에 맞추기 위해 생각하고 또 생각했던거 같다.

그러다 도서관에 가서 광고 관련 책을 엄청 쌓아두고 보기도 했었는데, 선배님이 너의 감각과 생각, 경험으로 창의적인 아이디어와 기획을 하기 전까지는 다른 사람이 쓴 광고 관련 책을 보지 말라고 하셔서 정말 맨땅에 헤딩하기로 아이디어를 내기도 하고 부딪히며 나만의 오리지널리티를 찾아내려고 노력했던 것 같다. 그 당시에는 그렇게 하는 것이 너무 어려워서 책을 통해 학습을 하고 싶었지만 하나하나 내 감각과 경험을 통해 느리지만 새로운 것들을 경험했던 것이 나의 창의성에 큰 자산이 되어 주었다.

　　시간이 지나고 생각해 보니 정말 주옥같은 말씀이었다. 먼저 관련된 분야의 책들이나 이론을 읽거나 흡수하여 선입관을 갖기보다는, 감각을 확장해줄 수 있는 매거진들과 사진들, 전시 관람을 통해 많은 간접경험을 쌓으려고 했다. 또한, 무엇인가에 대한 경험이 고갈되는 순간 창의성도 고갈된다고 생각하여 최대한 새로운 것을 많이 경험하고 느끼고 표현하려고 노력했다. 프로젝트와 생활을 통해 부딪혀가며 직접 경험을 쌓으면서 나름의 규칙들을 발견하고 이론화하려는 시도를 많이 한 것 같다.

　　뭔가 사실을 설명하거나 표현하려고 할수록 창의적인 아이디어에서 멀어지고 생명력을 잃게 된다. 고유의 오리지널리티를 추출

해내서 핵심 메세지를 연결하는 것이 중요하다.

또한, 복잡한 것을 잘 씹고 넘겨서 소화하기 쉽게 간단하게 표현해내는 것이 필요하다. 새로운 경험을 창의적으로 표현하기 위해서는 여러 가지를 동시에 표현하는 것보다 아주 간단하고 핵심적인 것만 선택하여 집중적으로 표현하는 것이 중요하다.

창의성의 결정적 순간 33가지

창의성에 대한 정의는 분야마다 다양하고 창의성의 효과도 중요하지만, 가장 중요한 것은 창의성을 어떻게 높일 것인가이다.

다양한 분야에서 정의된 창의성을 설명하는데 그치지 않고 언제 어떻게 창의적일 수 있는지 그 '창의성의 순간'을 포착하여 창의성을 원하는 순간에 발휘하고 생활화하여 원하는 순간에 계속 찾아오도록 하는 게 목표이다.

이제 창의성의 33가지 결정적 순간을 포착해보자.

CREATIVITY

33

창의성의
결정적 순간
33가지

CREATIVITY
01

브레인스토밍

창의성은 팀스포츠다

CREATIVITY

01

브 레 인 스 토 밍

창의성은 팀스포츠다

브레인스토밍이라는 말을 처음 들었을 때 굉장한 말이라는 생각이 들었다. 영어로 두 가지가 조합되어 있고 뇌가 폭풍친다는 뜻이니 말이다. 아이디어 회의를 할 때 브레인스토밍이라는 것을 시작하면서 혼자서 아이디어 발상할 때와는 달리 뇌에 폭풍우가 치는 것 같은 아이디어의 점화가 순식간에 일어나고 끝을 모르고 달려가게 되는 상황을 경험하면서 말 그대로구나 이건 완전 팀스포츠인데!

라고 생각하게 되었다. 브레인스토밍은 아이디어의 단초를 생각하여 워밍업을 한 후 비슷한 워밍업 상태에 있는 사람들과 함께 아이디어를 발전시키면서 아이디어의 점화 효과를 집단으로 만들어가는 과정이기 때문이다.

직급이나 직종 구분없이 생각해온 혹은 끄적거린 아이디어의 러프한 단초들을 끄집어내어 수면으로 올리는 순간, 같이 워밍업 된 다른 팀원이 그 생각을 듣고 또 다른 아이디어를 연결하는 점화효과Priming Effect가 일어나는 것이다. 한마디로 농구공이나 축구공을 패스하고 또 이리저리 패스하다가 슛했다가 못 넣고 또 패스하고 그러다 슛 골인하기도 하는 그런 상황이다.

점화 효과는 시각적으로 먼저 제시된 단어가 나중에 제시된 단어의 처리에 영향을 주는 현상을 말하는데, 이러한 점화효과를 통해 연상의 활성화Associative Activation가 일어나 갑자기 떠오른 생각들이 뇌 속에서 폭포가 퍼지듯 연쇄적 연상 활동을 일으키며 많은 다른 생각들을 불러 일으킨다.

나는 이 폭풍우 치는 듯한 아이디어의 점화 효과가 하늘을 찌르는 듯 상승하는 순간을 좋아한다. 보통 때 하기 힘든 비약적 아이디어가 샘솟고 생각지 못한 뜻밖의 아이디어로 발전할 때 도파민이 샘솟고 희열의 클라이맥스를 느낄 수 있기 때문이다. 더군다나 그 상투를 잡은 순서가 바로 나라면 짜릿한 엔돌핀이 하늘을 찌르는 그 기분이란.

　창의성이 팀스포츠란 말처럼 창의성이 뛰어난 팀원들을 만나게 되면 팀스포츠의 클라이맥스는 무한정 상승할 수 있다. 잘 워밍업된 팀원들을 만나 브레인스토밍의 즐거움을 경험할 수 있게 나의 창의성 지수를 높이고 충분히 워밍업하는 것이 중요하다.

CREATIVITY
02

집중적으로 생각하자

창의성은 집중력의 결실이다

CREATIVITY

02

집중적으로 생각하자

창의성은 집중력의 결실이다

구슬이 서말이라도 꿰어야 보배라고 했다. 단편적으로 생각난 아이디어들, 오랫동안 내버려 두어서 파편이 된 아이디어들을 모아 모아 선택하고 하나의 주제 아래 집중적으로 생각할 필요가 있다.

어떻게 꿰는가에 따라 전혀 다른 창조적인 결과물들이 태어난다. 제각기 따로 놀고 있던 생각들에 대장을 세워서 리더십을 발휘하게 하는 것이다.

아이디어를 생각할 즈음에는 밥먹는 시간이나 친구들 만나는 시간에도 계속 생각하는 경우가 있는데, 이러한 노력과 집중이 아이디어들 중에서 서로 관련된 것들을 묶고 증폭시켜 아하!의 순간을 만들어 낸다.

아하! 모먼트Aha Moment란 어떤 특정한 순간 갑자기 무언가를 깨닫거나 느껴 아하! 라고 외치는 순간을 말한다. 이런 순간을 많이 경험할수록 집중력이 높은 아이디어의 결실을 얻게 된다. 진정으로 만족스럽고 즐거운 창의성의 결실을 즐길 수 있는 순간이기도 하다.

골똘히 축적하고 발산하고 공들여 생각하라. 하루 종일 생각하고 또 생각하라. 밥먹을 때도 길을 갈 때도 샤워할 때도 특히 자기 전에 생각하면 더 좋다. 꿈에서도 생각하라. 일정한 양이 더해지면 임계점을 지나 새로운 단계로 진화한다고 했던가.

티핑 포인트Tipping Point는 작은 변화들이 모여 큰 변화를 가져오는 지점을 의미하는데, 여러 분야에서 중대한 변화를 가져오는 임계값을 말하기 위해 인용된다.

관심 분야에 대한 데이터 베이스와 경험을 자꾸 축적하라. 데이터가 많을수록 시냅시스 간에 연결이 활발해지고 새로운 연결도 많아지고 어떤 지점이 되면 창의성이 터지는 순간이 온다. 더 정교하게 생각할 수 있고 발산적인 사고도 가능해진다.

이 단계에서는 밥 먹듯이 생각하고 사실 이러다 죽을 것 같은 상태를 경험하듯이 미친 듯이 생각해보는 것이 좋다. 이쯤 되면 꿈인지 생시인지 경계 없이 늘 빠져 지내므로 아이디어의 질이 너무 좋아진다.

중요한 것은 날아가 버리지 않게 메모하는 것을 잊지 않는 것이다. 메모는 확산되는 사고를 더 크게 증폭시켜주는 기능이 있어 아주 유용하다.

CREATIVITY

03

무의식과 의식의 사이,
경계선에서 잡을 수 있다

이때 필요한 것은 베개 곁에 준비해둔 메모지!

CREATIVITY
03

무의식과 의식의 사이, 경계선에서 잡을 수 있다

이때 필요한 것은 베개 곁에 준비해둔 메모지!

아이디어를 계속 생각하다가 잠이 들면 꿈속에서도 그 생각들이 이어질 때가 많다. 그리고 잠에서 깼을 때 생각했던 아이디어들의 답을 얻을 때가 종종 있다.

간혹 꿈속에서도 그 답을 얻긴 하지만 대개는 잠에서 깨는 순간, 이거야 하는 답이 떠오르는 경우가 있다. 그때 무척 만족스러운 답이 생각나는데 이때 제대로 메모해두지 않으면 의식적이 아닌 상태라 생각들의 휘발성이 강해서 다시 떠오르지 않는 경우가 많다. 정말 생각이 안 나서 아쉬웠던 경우가 셀 수 없이 많다.

하지만 잠에서 깨어서 무의식과 의식 경계에 있는 그 순간 떠오른 생각들을 메모하기란 쉽지 않다. 그때 의식적으로 그러한 작업들을 메모한다면 굉장히 귀한 원초적 아이디어, 해결책을 손에 쥘 수 있다.

머리 맡에 메모지를 항상 준비하고 괴롭지만 의식의 세계로 떠나기 전에 베개 곁에 붙들어두자. 핸드폰은 추천하지 않는다. 잠자는 동안에라도 핸드폰과 멀리 있는 것이 건강에 좋다.

메모지를 준비한 상태에서 아날로그로 그 느낌을 놓치지 말고 적어라. 졸려서 어쩔 수 없다면 실마리가 되어 줄 키워드 정도도 괜찮다. 많이 적는 것도 좋지만 최소한으로도 기록해두는 것이 중요하고 더 좋은 것은 떠오른 그 순간부터 그 생각들을 적으면서 생각을 끝까지 가게 해보는 것이다. 오랜 아이데이션과 몰두의 결과로 질 좋은 아이디어를 선물로 받을 것이다.

잠이 깨는 순간, 메모해둔 아이디어를 나중에 보면 기대보다 평범하게 느껴질 때도 있다. 왜 그렇게 메모했는지 잘 생각이 안날 때도 있고. 하지만 자주 메모하다보면 그 간극이 줄어들어 메모를 거의 그대로 써도 될 정도로 활용가치가 높아질 때가 있다.

결국은 자신에게 맞는 방법을 찾는 것이지만 잠에서 깼을 때 떠오르는 아이디어란 대개는 날것의 유용한 경우가 많다. 때로 방향을 틀만큼 대단한 것일 수도 있다. 왜냐하면 낮사이 의식수준에서 생각하던 것들이 잠이라는 과정을 통해 무의식까지 깊숙이 잠수하고 나온 생각들이기 때문이다. 날것의 생각들을 빈틈없이 붙잡는 습관을 갖는다면 창의적인 아이디어의 깊이와 새로움, 둘 다 잡을 수 있다.

CREATIVITY
04

연상이 꼬리에 꼬리를 물고!

창의성은 콘텍스트의 연결이다

CREATIVITY

04

연상이 꼬리에 꼬리를 물고!

창의성은 콘텍스트의 연결이다

유투브에서 관심있는 것을 검색하면 꼬리에 꼬리를 물고 비슷한 취향을 말해주는 영상이 추천된다. 검색된 영상을 기반으로 내가 좋아할 만한 것을 추천해주는 거다. 이런 알고리즘을 따라 가다보면 나만 보고 듣는 새로운 세상이 만들어진다.

창의성은 연상의 연상을 따라 계속 발전하고 분화되어 새로운 관련성 있는 연결을 만들어내고 이는 새로운 창의적인 결과물과 연결된다.

이때 콘텍스트(맥락)에 따라 관련성 있는 콘텐츠들의 연결이 무한정 만들어지는데 그 연결 중 강화하고 싶은 맥락을 선택하고 디테일을 강화시키면 새로운 맥락이 창조되는 기쁨을 누릴 수 있다.

이러한 콘텍스트 기반의 연상 작용을 활용한 아이디어 발상법은 실제로 창의적인 콘셉트Concept를 발견하고 강화시키는 실질적인 방법이 된다. 누구나 쉽게 활용할 수 있는 마인드맵이 그것이다.

연상되는 것을 적어보고 서로 연결되는 연상들을 이어나가면서 연상의 지도를 만들어보는 것이다. 그러면 복잡하게 떠오르는 생각들을 이어보고 관련성 있는 것들을 강화하고 중요한 연결들을 발견해 콘셉트화 할 수 있다.

관심 있는 콘텐츠들을 따라 그 콘텐츠와 비슷한 콘텐츠만을 계속 보고 그 안에서 사람들을 만나고 생활하다 보면 세상이 다 그렇게 돌아가는 것처럼 보인다.

예전과는 다르게, 보고 싶지 않은 것은 보지 않을 수 있다. 내가 첫 단추를 낀 콘텐츠를 중심으로 무한의 연결된 콘텐츠가 추천되고 연결되다 보니 더 견고한 비슷한 취향의 세계를 만들게 되고 거기에서 연결되는 사람들과 새로운 세상을 구축하고 즐기게 된다.

좋은 점은 그 콘텐츠에 대해 많은 배경지식을 쌓게 되고 비슷한 배경지식과 창의성을 가지고 있는 덕후들의 콘텐츠를 많이 접하게 된다는 것이다. 그러면서 그 분야에서의 창의성이 더 깊어지고 공감의 깊이도 더 깊어진다.

안 좋은 점은 그 반대일거 같다. 연결되지 않은 세상과의 고리는 점점 멀어진다는 것. 창의적인 크리에이터가 이런 스몰 월드를 연결하는 접점들을 다양하게 만들어 세상에 더 많은 창의적인 접점이 생기게 한다면 좋을 것이다.

CREATIVITY
05

생각을 타이핑하라

임계점을 넘는 순간 창의성이 모락모락 피어오를 것이다

CREATIVITY
05

생각을 타이핑하라

임계점을 넘는 순간 창의성이 모락모락 피어오를 것이다

많은 생각들이 머리 속을 스쳐가는데 시간이 지나면 사라져 버리거나 불완전하게 남는다. 좋은 생각이 났을 때는 생각을 타이핑하라. 타이핑하거나 글로 쓰면 확실히 생각은 생명력을 갖게 된다.

타이핑은 뿌리 내리고 새싹을 틔우는 씨앗에 질 좋은 거름을 주는 것과 같다. 많은 가능성을 품고 있는 씨앗을 타이핑하면서 뿌리를 내리고 싹을 틔우고 열매를 맺고 거둬라.

큰 생각의 구조를 먼저 짜고 타이핑하면서 세부적인 생각을 뻗어 나가면 타이핑을 통해서 생각이 정리되고 발전되어가면서 자꾸 완결을 지으려는 방향으로 나아가는 것을 느끼게 된다. 그리고 글을 써내려 가다보면 글을 자꾸 펼치고 싶다는 생각이 들면서 자연스럽게 확장하게 되는 것을 느낄 것이다.

실제로 쓰는 것은 생각을 현실로 이루어주는 완결 효과가 있는 것 같다. 생각만 하고 있으면 아무것도 이루어지지 않지만 생각을 적어 내려가는 순간, 펜과 키보드는 우리의 생각을 좋은 곳으로 데려가 주는 것 같다.

오랫동안 책을 쓰고자 했지만 계속 미루면서 쓰지 못한 적이 있었다. 어느 날, 친구에게 책을 쓰고 있다고 말했는데 친구가 잊을만 하면 계속 언제 책이 나오냐고 물어주었다. 그때마다 계속 언제까지 나올거야 라고 답을 했는데 자꾸 그렇게 답하고 쓰겠다는 결심을 알리고 적다 보니 마침내 책을 내게 되었다.

이렇게 자꾸 생각한 것을 말하고 적어 나가는 것은 씨앗을 뿌리고 열매를 맺고 거두는 것처럼 꼭 필요한 창조의 준비과정이다.

　창의성에 대한 주제는 정말 오랫동안 생각한 주제인데 너무 완벽하게 쓰지 않아도 된다는 마음이 들었을 때 생각만 하던 것을 타이핑하면서 이렇게 책으로 나오게 되었다. 꼭 타이핑이 아니더라도 메모를 하거나 메모를 모으거나 목차를 분류하는 작업을 하다보면 생각은 길을 내고 그 길을 따라 써내려 가다보면 마침내 하나의 책으로 나오게 되는 것 같다.

CREATIVITY

06

관련된 누군가와 대화하라

어느 순간 창의적인 단초들을 발견할 것이다

CREATIVITY

06

관련된 누군가와 대화하라

어느 순간 창의적인 단초들을 발견할 것이다

어떻게 프로젝트를 시작하고 창의적으로 문제해결을 할까? 여러 가지 방법 중에 가장 큰 변화와 발전을 주는 계기는 함께 대화를 나누는 것이다. 실제로 가장 큰 문제해결의 실마리는 관련된 사람들과 이야기를 나누는 그 순간부터 시작된다.

좋은 질문을 던지는 것은 얘기를 나누는 사람이 창의적이 될 수 있는 기회를 준다. 대화 속에서 이를 발전시키다 보면 어느 새 창의적인 문제해결의 대화를 하고 있는 경우가 있다. 이때도 필요한 것은 기록이다. 기록하지 않으면 순간의 창의적인 아이디어들이 휘발되어 날아가 버리는 경우가 많다. 이것만 주의하게 되면 대화는 가장 속 깊은 창의성을 선물할 것이다.

다른 사람의 아이디어를 듣고 피드백하면서 아이디어를 발전시키는 것은 브레인스토밍과는 또 다른 좀 더 깊이 있는 아이디어 디벨롭Develop, 즉 아이디어의 숙성 과정이다. 브레인 스토밍이 아이디어의 에피타이저 같은 거라면 아이디어 디벨롭은 브레인스토밍을 거친 후 각자 아이디어를 더 디벨롭하여 아이디어 스케치나 시안의 형태로 깊이 있게 만들어 아이디어를 경쟁적으로 발표하면서 서로의 아이디어를 설득하면서 선택해나가는 과정이다. 이 과정에서 온전히 하나의 안이 채택되는데, 그 과정에서 나온 다양한 아이디어는 채택된 아이디어에 날개를 달아 날아오르게 하는 역할을 톡톡히 한다.

처음 회사를 창업했을 때, 경쟁 프리젠테이션에 참여하기 위해 프로젝트팀을 꾸린 적이 있다. 기획, 카피라이터, PD 이렇게 15년차 가까운 실력자들이 모여서 2시간 정도 아이디어와 콘셉트 회의를 했는데 바로 아이디어가 나와서 그 자리에서 콘티를 스케치하고 프리젠테이션 준비를 시작했다.

비슷한 경력의 다른 포지션의 아이디어맨들이 모이니 아이디어가 폭발하고 서로의 아이디어에 전염되어 발전시키니까 너무 속시원하게 순식간에 창의적인 아이디어가 샘솟았던 기분 좋은 기억이 있다. 이런 즐거운 순간들은 숙성된 아이디어를 가진 창의적인 사람들과 일하는 기쁨이다. 이런 순간은 일이 아니라 하나의 놀이이며 진정한 집단 창조의 기쁨을 누리게 해준다.

이제는 다른 일을 하게 된 한 선배가 이런 동료들 간의 열정적이고 생산적인 회의를 그리워하던 생각이 난다. 서로 자기 아이디어가 맞다고 우기기도 하지만 서로의 아이디어를 말하며 시간가는 줄 모르고 몰두하던 그런 순간이 정말 아름다운 순간이고 잊지 못할 추억이라고. 시간이 지나고 보니 정말 그런 것 같다. 뭔가 더 좋은 것을 찾겠다고 너나 할 것 없이 창조적인 아이디어를 개진하며 정답을 찾아가는 그 시간들이 정말 순수하고 행복한 창조의 순간이었다.

CREATIVITY
07

벗어나라

다른 것을 할 때 문득 창의적인 문제해결이 유레카처럼 떠오를 것이다

CREATIVITY
07

벗어나라

다른 것을 할 때 문득 창의적인 문제해결이 유레카처럼 떠오를 것이다

터널 속을 운전할 때 시야가 좁아지는 현상이 일어나는 것처럼 너무 한가지 생각만 골똘히 빠져 사고하다 보면 생각도 갇히게 된다. 이때는 잠시 접어두고 다른 일을 하거나 관련 없는 사람을 만나거나 충분히 쉬거나 놀아라. 바보처럼 멍하게 아무 생각없이 모든 걸 잊고.

이때 유레카하는 순간이 찾아온다. 전혀 생각지 않은 순간에 뇌의 다른 부분에서 신호가 와서 창의적인 아이디어를 선사한다.

무언가 말하려고 하는데 잘 생각이 안 날 때가 있을 것이다. 입에서 생각 속에서 맴도는데 도무지 생각나지 않아 답답한 경우가. 뭔가 생각은 나는데 말이 생각나지 않을 때 혀에서 맴돈다고 하는데 영어로는 혀끝에 있다고 해서 On the tip of tongue라고 표현하기도 한다. 그러다가 잊고 있었는데 문득 생각이 나는 경우가 있을 것이다.

운동을 하다가, 대화를 하다가, 운전을 하다가, 샤워를 하다가, 문득 생각나지 않았던 것들이 떠오르는 경험이 많을 것이다. 우리 인지는 갖춤새 효과Mental Set가 있어 같은 사고를 반복하다 보면 사고가 매몰되어 고착되어 버린다. 갖춤새 효과는 어떤 문제를 너무 오랫동안 응시할 때 생겨나는 인지적 함정이며 이는 사고의 고착을 가져온다. 문제를 해결할 때 과거에 수행했던 방법을 고수하며 다른 문제를 비슷한 문제에 적용하여 풀어가려는 경향을 보인다. 과거에 성공했던 문제해결 경험이 다른 문제해결을 위한 마음의 갖춤새를 형성해 새로운 문제해결을 방해하는 것이다.

이처럼 갖춤새 효과는 특정한 것만 바라보고 나머지를 바라보지 못함으로써 주변의 것들을 놓쳐버리는 터널 비전의 함정을 불러올 수 있다. 터널 비전이 생기면 사고가 한 부분에 집중되어 다른 부분을 인지적으로 무시하게 되는데 터널 비전이 적절하면 창의성에 도움이 되지만 과도하면 부정적인 효과를 보여준다. 따라서 과도하게 한 가지에 몰두하여 갖춤새 효과에 빠져 터널 비전을 보인다고 생각될 때 과감하게 벗어나서 다른 시각으로 문제해결을 할 수 있게 인지적인 도피를 감행하라! 원하는 것을 얻을 수 있을 것이다.

틈틈이 다른 일을 하라. 같은 자세로 같은 일을 계속하면 같은 생각이나 패턴을 되풀이하면서 모를 수 있다. 하나에 몰두하면 할수록 틈틈이 다른 일을 하고 다른 자세를 취하고 공간도 바꿔보라. 그러면 생각이 리프레쉬 되면서 또 다른 관점에서 안 보이던 것이 보이고 새로운 시각을 가지게 될 것이다.

딴청을 피우는 것도 좋다. 오래 앉아서 같은 일을 한다고 해서 능률이 오르지는 않는다. 중요한 것은 틈틈이 다른 생각이나 일을 하되 그 문제에 대해 목적의식을 가지고 끊임없이 트라이하고 도전하고 멈추지 않는 것이다. 때로는 전혀 다른 일이나 태도, 생각들이 창의적으로 문제해결 할 수 있는 힘을 줄 것이다.

CREATIVITY
08

놀아라. 릴렉스하라

막히고 답답할 때가 있다. 이때는 마음껏 놀아라

CREATIVITY
08

놀아라. 릴렉스하라

막히고 답답할 때가 있다. 이때는 마음껏 놀아라

움추려있던 생각들이 놀면서 유연해지고 활발해지면서 생명력을 가지고 살아 난다. Think Hard, Play Hard! 처럼 뇌의 스위치를 내리고 신나게 노는 것이 필요하다.

'노는 게 남는 거다'라는 말이 때론 맞다. 뇌가 과부하되었다면 놀아라. 수축되어 있던 세포들에 영양을 공급하고 윤활류를 뿌려라. 놀다 보면 뇌의 시냅시스가 다른 연결들로 활성화되고 풍부해질 것이다. 놀이를 통해 뇌는 되살아나고 생명력을 갖고 유연해진다. 생각을 끝내고 리셋하고 다시 시작하라. 단절은 혁신할 수 있는 자양분을 채워줄 것이다.

무언가에 몰두하다 보면 교감신경이 과도하게 활성화되고 긴장하게 된다. 물론 몰두하면서 지속적인 즐거움의 순간인 몰입의 순간으로 이동하기도 하지만 과도한 교감신경의 활성화는 뇌를 지치게 하고 필요 이상으로 신경을 날카롭게 하고 과도하게 긴장하게 만들어 몸의 기능을 떨어뜨리고 잠이 잘 안오기도 한다.

이때는 부교감신경을 활성화시켜 몸과 마음을 릴렉스하고 멍하게 지내는 시간을 늘려야 한다. 아무것도 생각하지 않거나 신나게 놀아서 몸과 마음을 쉬게 하여 교감신경과 부교감신경의 밸런스를 맞춰주는 것이 좋다. 바쁜데 놀아도 되나 하는 죄책감은 잊어라.

긴장된 자세도 릴렉스하는 것이 좋다. 어떤 문제에 과몰입할 때 머리가 앞쪽을 향하며 조급하고 긴장된 자세를 보이는데, 이럴 때 급히 문제를 해결하려 하지 말아야 한다. 내 몸의 긴장도를 의식하고 몸에 힘을 풀고 자세를 바로 하면서도 릴렉스된 몸을 수시로 만들어 주는 것이 몸도 쉬게 하고 생각도 쉬게 해주는 효과를 줄 수 있다.

원래 성향이 교감신경이 늘 활성화되어 항시 긴장하고 있는 사람들도 있고 반대로 부교감신경이 우세하여 늘 릴렉스되어 있는 사람들도 있는데 중요한 것은 밸런스이다. 자기의 성향을 알고 늘 밸런스를 맞추기 위해 노력한다면 몸과 마음의 컨디션을 좋은 상태로 유지할 수 있다. 이때 좋은 생각들이 튀어나온다.

Think Hard, Play Hard!

생각 후에는 반드시 그만큼 뇌를 놀게 하자!

CREATIVITY

09

신체와 정신은 이어져 있다

생각의 근육을 키워라

CREATIVITY
09

신체와 정신은 이어져 있다

생각의 근육을 키워라

건강은 모든 것의 주축이다. '건강한 신체에 건강한 정신이 깃든다' 는 말처럼 신체를 적절히 움직이고 좋은 컨디션을 유지하는 것은 좋은 생각들을 담기에 중요한 자극이 된다.

이때 체력은 아주 중요한 요소이다. 몸과 마음은 하나이기에 좋은 생각을 지속시킬 수 있는 연료도 체력이 받쳐줘야 가능하다. 공부만

하고 일만 하던 사람보다 꾸준히 운동하고 몸을 관리한 사람이 나중에는 더 원하는 것을 성취하는 경우가 많은 것도 이 때문이다.

가만히 정체되어 있는 것이 아니라 몸을 움직여주면 새로운 자극이 생기고, 정체되어 있던 생각들이 살아서 움직이면서 활동하게 된다. 때론 뛰면서 또는 걸으면서 근육을 움직이면 생각의 근육도 붙을 것이다. 신체활동 중 어느 것도 생각과 연관되어 있지 않은 것은 없다. 적절한 신체활동은 생각의 지방을 불태우고 근육을 붙여 생각의 힘을 길러줄 것이다.

몸의 근육이 지치지 않는 체력을 만들어주는 것처럼, 생각의 근육이 단단하게 만들어지면 생각의 흐름이 끊기지 않고 부드럽게 지속되도록 도와준다. 새로운 창조가 필요할 때 기존의 단단한 생각의 근육들이 가동되어 새로운 생각이 자리 잡도록 든든하게 역할을 한다.

책을 읽거나 좋은 생각을 가진 사람들과 교류하거나 많이 써보고 발표하고 피드백을 받으면서 생각의 근육은 더욱 강하게 단련된다. 단단한 생각의 근육이 있다면 새로운 자극과 방향성이 주어질 때 원하는 만큼의 창의적인 순간을 원하는 때 순식간에 만들어낼 수 있다. 바디 프로필을 찍는 것처럼 생각 근육 프로필도 창의성의 미끈한 프로필을 보여줄 것이다.

생각이 안 나는가? 머리를 움직이고 몸을 움직여라. 몸은 움직이면서 머리로는 계속 생각하라. 어느 순간 가슴을 뛰게 할 생각들이 튀어나올 것이다. 실제로 창의적인 아이디어와 아이디어의 발전은 운동을 하는 동안에 생각난 경우가 많았다. 자세를 바꾸면서 몸을 움직이면서 생각도 같이 움직이며 새로운 돌파구가 생각나는 경우가 많았다.

그래서 창의적인 작업을 하는 동안에는 운동이나 산책을 규칙적으로 하려고 한다. 운동은 몸과 마음에 긴장감을 주고 또 포즈를 주어 기존의 갖춤새 효과를 풀고 새로운 각도에서 유연하게 생각하도록 도와준다.

CREATIVITY

10

관점이 다른
피드백으로 발전하라

창작활동에서 피드백은 굉장히 중요한 역할을 한다

CREATIVITY
10

관점이 다른
피드백으로 발전하라

창작활동에서 피드백은 굉장히 중요한 역할을 한다

나와 관점이 다른 피드백에 귀기울여 업그레이드하라. 피드백을 하는 사람의 관점이 정답은 아니지만, 그 분야에 전문성이나 관여도가 큰 사람의 피드백이라면 나의 매몰된 관점에 다른 시각을 불러일으킬 수 있다. 피드백을 통해 내가 하는 활동을 입체적으로 볼 수 있는 기회가 생긴다. 관점이 다른데 주관적인 시각이 강한 혹평에 대해서는 귀를 반쯤만 열어두라.

아이디어를 입체적으로 만들어줄 수 있을 만큼 열어두고 피드백을 들어라. 전문성은 전문성이 큰 사람들의 시각으로 크게 발전할 수 있다.

시각이 다르고 객관적으로 볼 수 있는 전문가에게 보완해야 할 점에 대한 중요한 단서를 빠르게 피드백 받을 수 있다면 창의적인 결과물을 만들 수 있는 가능성이 놀라울 만큼 커진다. 그래서 주변에 창의적인 사람들이 많으면 나의 창의성도 커진다. 창의적인 사람들과 어울리고 자연스런 네트워크를 만들어 순 피드백 시스템을 구축하라.

같이 식사하다가 차 마시다가 툭 튀어나온 피드백이 창의성을 뻥 튀겨 결정적인 실마리가 되는 경우가 많다. 오디션 프로그램에서 열심히 미션을 수행한 후 그 분야의 마스터 피드백 한마디 한마디에 눈물을 흘리기도 하고 결정적인 피드백으로 단점을 훌륭하게 보완하여 짧은 오디션 기간 동안 믿을 수 없을 만큼 성장을 보여주는 사례가 많다. 거듭되는 오디션을 통해 그러한 피드백의 효과를 확인하는 마스터들의 기쁨도 대단할 것이지만, 피드백을 적극적으로 수용하고 완전체를 향해 동기 부여되어 같이 미션을 수행하는 사람들과의 경쟁과 협력을 통해 열정을 불태우는 과정에서 놀라운 성장을 경험하게 될 것이다.

다른 분야에서 다르게 작업해온 사람과 얘기를 나눌 때 잘못된 피드백을 서로에게 줄 수도 있다. 하지만 잘못된 피드백을 통해 때론 아주 참신한 새로운 생각들이 떠오르기도 한다.

이 과정에서 상대와 부딪히기도 하지만 결과적으로는 얼굴을 붉혔던 일도 잊어버리고 서로에게 창의적인 선물을 안겨주기도 한다. 그런 관계는 자주 보지 않아도 오래 지속되며 서로에게 많은 인사이트를 줄 수 있는 창의적인 관계이므로 소중하게 지속하게 된다.

CREATIVITY
11

고유성에 뿌리를
내리고 있는가

우리는 태어날 때부터 다르다

CREATIVITY

11

고유성에 뿌리를
내리고 있는가

우리는 태어날 때부터 다르다

시시각각 다른 관심 분야에 몰두하거나 다른 경험을 하게 되면서 지속적으로 자기만의 개성을 발전시키게 되고 이는 나만의 고유성, 정체성이 된다. 남다른 창의성은 결국 구별되는 나만의 고유성과 남다른 경험에서 나온다.

고유성에 뿌리를 내리고 가장 나다움의 무언가를 찾아내자.

무언가를 만들기 시작할 때 어차피 시작은 나로부터다. 그 재료가 나만의 다른 경험과 다른 시각이어야 한다. 끊임없이 나를 구별해내고 독특한 개성을 뿌리내려라. 이 때의 창의성은 자연스럽게 나의 고유성을 묻어내며 숨길 수 없는 특유의 향기를 내뿜을 것이다.

신기한 것은 우리가 어딜 가나 대세인 것을 찾는다는 것이다. 대세인 것을 찾는 것은 인지적 절약자Cognitive Miser로서 실수하지 않고 무난한 것을 선택하여 실패를 줄이고 상대적으로 다른 사람의 경험에 의지하여 무난한 경험을 할 수 있기 때문이다.

하지만 이러한 태도는 소비하는 데에는 유용하지만 창의적인 무언가를 하는 사람들에게는 유용하지 않다. 레스토랑에서 메뉴를 고를 때도 요즘 잘나가는 것에 손이 간다. 대세를 파악하는 것도 중요하지만 나에게 잘 맞는 재료로 만들어진 음식을 찾아 먹는 것이 건강에도 좋고 나의 취향도 만들어준다.

이런 나다운 것을 찾는 태도가 남과 다른 나만의 스타일이 된다. 자신의 고유성에 따라 자신에게 맞는 것을 경험하려는 사람들은 같은 장소, 같은 상황에서도 다른 것들을 경험하고 자신만의 시각으로 바라본다. 그래서 그 경험들을 자신의 고유성에 통합해나간다.

나에게 맞는 것을 찾아내고 그것을 나만의 방식으로 경험하면서 고유한 정체성으로 만들어간다면 독창적인 개성으로 발전할 것이다.

　사실 어디선가 눈에 띄게 보이는 것들은 자신의 고유성을 가장 잘 표현한 것들이다. 어렸을 때부터 POP을 즐겼는데 언제부턴가 POP이 아니라 K-POP이 세계적인 것이 되었다. POP과 결합한 K-POP이 믿을 수 없을 만큼의 세계적인 인기를 구가하고 있는 것이다. 이는 오리지널 팝에 한국적인 고유의 것을 결합하여 표현함으로써 오리지널 팝에 없는 탁월한 개성을 표현해냈기 때문이다.

CREATIVITY
12

학습, 이미 있던 창의성

새로운 자극으로 깨어나고 재창조하라

CREATIVITY

12

학습, 이미 있던 창의성

새로운 자극으로 깨어나고 재창조하라

학습을 하는 동안 우리 뇌는 활발하게 회로들이 연결되고 강화되고 기억되고 인출된다. 학습은 때로는 즐겁고 때로는 고통스럽지만 일정 임계치를 넘으면 마치 바둑의 여러 수를 가지고 여러 말을 움직이는 것처럼 학습된 자료들이 이리저리 연결되며 창의적인 새로운 연결을 만들어 내면서 자가발전되고 세밀히 세공되고 깊이 있게 저장되면서 학습의 즐거움이 느껴질 때가 있다. 이 창의적인 연결로 인해 유능감을 맛보면서 새로운 인식의 세계를 열 수 있기 때문이다. 학습을 통해 기존 기억들과 새로운 기억들이 새롭게 융합되어 정교하게 연결되고 강화됨으로써 깊이 있게 인출할 수 있을 정도면 창의적인 순간을 즐기고 있는 것이다.

또한 이미 있던 창조적인 사례를 학습하다 보면 정해진 주제에 대해 사고를 제한하여 집중할 수 있기에 어려운 패턴들 속에서 중요한 변수들을 알아내고 유사성을 찾아내어 쉽게 패턴을 인식하고 실행가능한 것에 집중할 수 있게 된다. 좋은 재료가 될 훌륭한 작품들을 소비하고 모으고 배우는 것은 새로운 가능성을 끄집어내 창의성을 만들어 낼 수 있다.

시험공부를 할 때 특히 벼락치기 시험공부를 할 때, 제한된 시간 속에서 시험범위를 공부할 때 엄청난 집중력과 함께 학습재료들을 연결하고 저장하고 기억하고 시험을 통해 인출해낸다. 이때 인출을 잘 해내려면 연결하고 저장할 때 기억하기 쉽게 정교하고 스토리있게 저장하는 것이 중요하다.

이 과정에서 충분히 납득할 정도로 이해하는 것이 중요하다. 충분히 이해한다는 것은 새로운 지식이 기존 지식과 연결되었다는 것을 뜻하고 기존 생각의 회로에 새로운 회로를 냈다는 것을 의미한다.

　이처럼 창의성이란 학습을 통해 이미 있었던 회로에 새로운 회로를 내어 연결하고 그 연결을 정교하게 하면서 새로운 의미를 부여하는 과정에서 자연스레 만들어진다. 따라서 새로운 것을 학습하는 것은 창의성을 위한 가장 기본적인 과정이라고 할 수 있다.

CREATIVITY
13

애매모호함에 매료되어라

분명하지 않기에 더 많은 실마리를 가지고 있다

CREATIVITY

13

애매모호함에 매료되어라

분명하지 않기에 더 많은 실마리를 가지고 있다

흑백을 선택하는 것보다 경계에 서서 애매모호함을 즐겨라. 불안하겠지만 이러한 불안 속에서 지루함을 느낄 새 없이 애매모호함이 주는, 바로 처리 되지 않은 정보의 불확실성에 몰두하면서 창조적이 되는 자신을 발견할 것이다.

애매모호함은 우리의 인지종결욕구Need for Cognitive Closure를 지연시켜 더 많은 주의를 기울여 정보를 처리하려는 자발적인 인지욕구를 불러일으킴으로써 더 창의적으로 정보를 처리하게 해 준다. 애매모호함의 경계에서 창조적 욕구를 느끼고 즐겨라. 언제나 새로운 혁신을 일으키는 것은 익숙한 것이 아닌, 낯설고 바로 처리되지 않는 애매모호함에서 시작되었다.

애매모호한 정보를 처리하기 위해 노력을 더 하고 더 정성들여 정보를 처리할수록 정보를 더 잘 흡수하게 되는데 이를 바람직한 어려움, 비(非)유창성이라고 할 수 있다. 더 유능한 상태의 창의적인 순간에 도달하기 위해서는 애매모호함의 경계에서 불안을 느끼며 현재의 능력을 넘어서는 도전을 할 때 가장 효과적으로 도달할 수 있다.

우리는 창의적인 것을 좋아하지만 사실은 익숙한 유창성에 오래 머무르려고 하는 경향이 있다. 익숙한 것이 편하고 따로 인지적인 처리를 요구하지 않고 쉽기 때문이다. 그래서 익숙한 자극이 주어질 때 더 이상 인지적인 처리를 하지 않으려는 인지종결욕구가 일어나고 경험적으로 비슷한 자극으로 처리해버린다.

그런데 익숙하지 않은 콘텐츠들을 만날 때에는 이를 처리하는데 어려움을 느끼면서 노력을 투자하여 더 정교하게 처리하려는 자발적인 인지종결 지연욕구가 일어나면서 창의적으로 정보처리를 하게 될뿐 아니라 더 오래 기억되고 더 활발한 연결들이 일어나 새로운 인지경험을 하게 된다.

그래서 이러한 어려움을 바람직하고 긍정적인 어려움이라고 한다. 창의성은 이렇게 낯설고 익숙하지 않은 정보를 자주 접하고 이를 인지적으로 차단하지 않고 자발적으로 인지하려는 적극적인 욕구를 가짐으로써 더 커진다.

전시회에서 무제라고 적힌 작품을 보면 작가의 의도를 가늠하기 어려운 경우가 많다. 이때 발길을 멈추고 실마리를 찾아 작품의 의도와 작품이 주는 의미를 간파하려다 보면 어느새 그 작품에 대해 더 많은 것을 알게 되고 도슨트에게 질문하기도 하면서 그 전시회에서 가장 의미있는 작품으로 기억되는 경우가 많다.

CREATIVITY
14

여행을 떠나자

미리 계획하고 간다고 해도 모든 것이 뜻대로 되지는 않는다

CREATIVITY

14

여행을 떠나자

미리 계획하고 간다고 해도 모든 것이 뜻대로 되지는 않는다

간접경험을 통해 계획을 짜도 직접 경험은 처음이기에 시뮬레이션을 통해 알고 있는 것들이 여행 길에서는 무장해제된다. 늘 가던 길, 늘 보던 모습, 늘 듣던 것이 아니라 완전 새로운 길, 새로운 모습을 보고 들음으로써 감각기관이 새로운 것에 반응하고 어린아이처럼 호기심을 가지고 모든 것이 처음인 듯 받아들이고 경험하게 된다. 여행을 통해 일상이 리셋되고 감각기관도 리셋되고 오감이 창조적인 해석과 경험을 할 만반의 준비를 하게 되는 것이다.

　늘 익숙한 길이 아니라 새로운 길로 여행을 떠나라. 숲속에 두 갈래 길이 있고 그 중의 한 길로 꾸준히 다니고 있다면 지금 뒤돌아서서 안 가본 다른 갈래 길을 걸어보아라. 창조의 근육이 꿈틀대며 새로운 얘기를 시작하고 싶어 안달이 날 것이다. 창조성에 생기를 불어넣는 것, 여행이 그 시작이다. 여행지에서 낯선 것들을 만나는 순간 늘 경험하던 내가 아닌 낯선 나를 경험하게 되고 나의 자극들은 새롭게 깨어나 '다른 나'가 되는 것이다.

　평소에 술을 잘 마시지 않는데 여행을 가게 되면 술을 많이는 아니지만 즐기면서 마시게 된다. 낯선 여행지에서 내가 아닌 '다른 나'를 경험하면서 평소에 하지 않는 행동들도 시도하게 되고 다른 감정을 느끼면서 새로운 나로 리셋되기 때문에 무척 즐거운 기분을 느끼게 된다. 감각기관과 인지기관이 생생한 자극을 받아들이는데 집중하면서 창조적인 순간을 맞이하게 되고 다른 느낌을 적극적으로 표현하며 행복감을 느끼게 된다.

　여행에서 돌아오면 한동안 여행자의 낯선 시각으로 일상을 감각하게 된다. 이때 늘 보던 일상도 색다른 여행이 된다. 같은 풍경과 일상이지만 여행에서 돌아온 나의 오감이 새로워졌으니 다른 시각으로 느껴지는 것이다. 여행의 감각이 오래 남을 수 있도록 리셋된 나의 감각을 생기있게 잘 보존하는 것이 여행의 여운을 오래도록 간직하는 길이다.

색다른 여행지를 여행하고 돌아오면 감각 또한 달라진다. 한라산을 하루종일 오르내린 적이 있다. 다음날, 살고 있는 동네로 돌아오면 가던 길이 짧게 느껴지고 한달음에 갈 수 있을 것 같다. 한라산을 오르내리다 사계절을 겪었기에 동네의 변덕많은 날씨쯤은 아무렇지 않게 느껴지기도 한다. 오감이 여행을 통해 새로워졌기에 일상이 다르게 감각되는 것이다.

이처럼 여행은 우리의 오감이 새롭게 리셋되는 기회를 제공해 일상에서 새롭게 세상을 느끼는 창의적인 오감을 선물해준다.

CREATIVITY
15

매의 눈으로 관찰하라

좀 더 자세히 볼 수 있다면 패턴을 읽을 수 있을 것이다

CREATIVITY

15

매의 눈으로 관찰하라

좀 더 자세히 볼 수 있다면 패턴을 읽을 수 있을 것이다

매의 눈으로 관찰하면 안 보이던 부분까지 세세히 볼 수 있게 되면서 늘 보던 것에서도 새로운 것을 발견할 수 있을 것이다. 명탐정이 된 것처럼 자세히 관찰하다 보면 보이던 것이 예전과 같지 않고 새로운 면을 볼 수 있게 되면서 이해도 깊어지고 새로운 시각을 갖게 된다. 새롭게 관찰된 것들이 이미 있던 배경 지식과 어울려 창의성이 무르익으며 피어나게 될 것이다.

사랑하면 보이는 것이 예전과 같지 않다고 한다. 이처럼 우리가 다른 감정, 다른 시각으로 같은 사물, 다른 사물들을 꼼꼼히 관찰한다면 안 보이던 것들을 볼 수 있게 되면서 배경지식을 통해 새로운 해석을 하고 예측도 할 수 있게 되면서 창의적인 순간을 경험할 것이다.

평소에는 평범하게 보이던 것들도 현미경을 통해서 보면 완전히 다르게 보인다. 중요하게 여겨지는 것이 있다면 매의 눈으로 관찰하고 새로운 관점으로 돌아보라. 관련 분야에 대한 배경지식을 쌓은 다음에 다시 보면 또 달리 보일 것이다.

결국 창의성은 보이는 관점의 변화에서 오는 것이기 때문에 늘 보던 것들도 새롭게 관찰하고 꼼꼼히 본다면 완전히 다르게 보이고 이는 창의적인 시각을 갖는 가장 손쉬운 방법이다. 여행을 떠나고 벗어나서 다른 곳으로 이동하는 것도 좋지만 그 자리에서 새롭게 관찰하기 시작하면 세상은 다른 의미로 다르게 경험되기 시작하고 일상에서 벗어나 색다른 일상을 선물할 것이다.

영화나, 전시, 책 등 창의적인 콘텐츠를 대할 때 사전지식없이 먼저 나의 매의 눈으로 경험해보라. 그리고 나서 궁금한 부분을 찾아보고 꼼꼼하게 부족했던 부분을 업데이트해보라. 먼저 감각을 통해 온전히 경험한 후 배경지식으로 보완하는 습관을 들인다면 감각이 연마되면서 맨눈으로 날것을 경험할 때 관찰할 수 있는 것들이 점점 더 늘어날 것이다.

배경지식없이 매의 눈으로 혼자서 전시회에서 작품을 보고 난후 도슨트의 설명을 통해 배경지식과 스토리 등을 듣고 다시 또 작품을 보면 입체적으로 작품을 볼 수 있는 눈이 생길 것이다.

누군가의 눈이나 귀를 통해 보고 듣지 말고 온전히 나의 눈과 귀를 통해 직접 듣고 경험한 후 경험한 것에 대해 의견을 가져라. 오염되지 않는 눈과 귀를 가지고 날 것을 경험하라.

CREATIVITY

16

일 탈 하 라

일상에서 벗어나 일탈을 시도하라

CREATIVITY

16

일 탈 하 라

일상에서 벗어나 일탈을 시도하라

일탈은 독창성, 새로움이며 일반적으로 받아들이는 것 또는 기대하는 것에서 벗어난 정도를 말한다. 평소 가던 길도 돌아가고, 하던 말도 반대로 해보고 해보지 않은 일들을 시도해보자. 단, 의미의 맥락을 벗어나지 않는 한에서 일탈하라. 배경 지식과 의미의 맥락이 통하는 조건에서 일탈을 시도한다면 일탈은 긍정적인 작용을 할 것이다.

일탈은 주의를 끌고 정보를 개방적으로 받아들여 인지적 노력을 유도하고 더 긍정적인 정서를 갖게 함으로써 창의성을 높여준다. 의미와 맥락이 닿는 상태에서 일탈을 시도하여 창의적인 상태에 도달하라.

일탈이라는 단어가 우리에게 주는 인상은 다소 일탈적이지만 독창성을 위한 일탈은 언제나 유용하다. 배우가 연기하는 캐릭터에 몰입하기 위해 다양한 삶의 주인공이 되어 보듯이 내가 가진 다양한 페르소나를 다양한 상황에서 경험하면서 감정이입해서 표현해보는 것은 약간의 일탈을 느끼면서 새로운 나의 모습을 확인해볼 수 있는 좋은 경험이다.

평소에 안하던 스타일의 헤어를 하고 잘 만나지 않는 사람들과 만나보고 잘 입지 않는 컬러의 옷을 입어보고 잘 먹지 않는 음식을 먹어보고 잘 가지 않는 곳을 가보면서 나를 다른 사람이 낯설게 느끼도록 해보라. 또 내가 나를 낯설게 느끼도록 경험해보는 일탈은 즐길 만하고 새로운 관점과 시각을 경험하게 할 것이다.

일탈은 새로운 것을 경험할 수 있는 기회일 뿐 아니라 일상의 익숙함과 편안함에서 느껴지는 지루함과 관성을 벗어나 긴장감과

스트레스를 경험하면서 모험과 도전을 해보는 순간이다. 너무 종잡을 수 있는 사람이라고 느껴진다면 종잡을 수 없는 사람이 되어보자. 혹은 그런 사람들을 만나보자. 전혀 자신과 다른 라이프스타일을 가진 사람들을 만나보는 것도 좋다.

이런 경험은 나를 객관적으로 돌아볼 수 있는 기회와 함께 나의 다른 욕구와 다른 모습을 자각함으로써 통합적이고 창의적인 나를 자각할 수 있는 순간이기도 하다.

CREATIVITY
17

질문하라

질문은 깊이 있는 지식이나 이해를 얻을 수 있는 값진 기회다

CREATIVITY

17

질문하라

질문은 깊이 있는 지식이나 이해를 얻을 수 있는 값진 기회다

정보가 주어질 때 그대로 받아들이는 것은 기존 인지과정처럼 별다른 노력없이 무의식적인 처리를 일으켜 우리의 인지과정에 자극이 되지 못한다. 정보를 받아들이는데 있어 뭔가 걸리는 것이 있고 잘 이해되지 않으면서 다른 좋은 아이디어가 있다면 그 지점에서 바로 질문하라. 그리고 정보의 결과에 대해 수긍하고 설득되어 받아들이기보다 왜 그런 결과와 현실이 보이는지에 대해 계속적인 질문을 던짐으로써 아주 효과적으로 원리를 이해할 수 있는 기회를 갖게 된다.

질문을 잘 함으로써 전달자가 전달하려는 한계를 뛰어넘어 해석과정에서 적극적인 정보까지 이끌어 내면서 질문자와 답변자는 서로 깊은 주파수의 공명을 통해 서로 창의적인 순간에 있게 된다.

질문자와 답변자의 배경 지식과 내공이 상당하다면 서로에게 전염되어 누가 먼저랄 것도 없이 최상의 크리에이티브한 순간으로 이끌 것이다. 특히 질문자가 답변자의 피드백을 받는 경우에 좋은 질문은 질문자의 창의성을 몇 배나 끌어 올릴 수 있는 귀한 경험이 될 것이다. 좋은 구두가 좋은 곳으로 인도하듯이 적절한 질문은 한 단계 높은 창의성의 순간으로 이끌어 줄 것이다.

강의나 강연을 할 때 미처 생각지 못한 좋은 질문을 하는 사람들이 있다. 이때 강연의 콘텐츠를 관중에게 제대로 인식하게 이끌 뿐 아니라 보다 더 깊이 있는 지식을 전달할 수 있는 연결이 형성된다. 좋은 질문으로 인해서 질문자뿐 아니라 강연자도 모두 자극을 받게 되고 참석한 모든 사람들의 이해도가 단번에 올라가는 효과가 있다.

    또한 적절한 질문을 생각하는 것은 질문자가 콘텐츠를 잘 이해할 뿐 아니라 기존 배경지식을 조합하여 창조적인 생각을 할 수 있는 과정이기도 하다. 질문자 뿐 아니라 강연자도 이러한 질문을 적절히 이용하는데, 인지시키려는 목표에 맞춰 청중들에게 적절한 질문을 던지는 것은 기존 배경지식과 갖춤새효과를 무장해제시켜 창의적으로 생각들을 이끌 수 있는 좋은 방안이 된다.

CREATIVITY
18

감성을 자극하여
심리적 공감을 하라

감성적인 자극은 심리적인 각성을 활성화하여 창의성을 높여준다

CREATIVITY

18

감성을 자극하여
심리적 공감을 하라

감성적인 자극은 심리적인 각성을 활성화하여 창의성을 높여준다

단순한 정보들보다 감성을 자극시킬 수 있는 메시지들이 창의성을 극대화할 수 있다. 일상의 많은 정보들 속에서 선택적 집중을 하게 되는데 처리해야 할 자극을 선택하는데 있어 감성적인 자극들은 심리적인 각성과 공감을 일으킴으로써 적극적이고 참여적으로 정보를 받아들이고 관여도 높게 정보를 처리하는 과정에서 창의성을 높인다.

광고 일을 하다 보면 창의성이 매일 매 순간 필요하다. 이때 적절한 창조적 자극을 바로 받을 수 없는 경우도 많고 한번에 다양한 일을 처리해야 하는 일도 많아 창의성이 소모되어 버리기도 한다.

이럴 때 가장 쉽게 접근할 수 있는 경우가 음악을 듣는 것이다. 그중에서도 아주 트렌디하면서도 많은 사랑을 받고 있는 음악을 듣다 보면 뇌와 마음이 동시에 빠르게 활성화되어 심리적으로 각성되고 창의적인 순간으로 전환되는 경우가 많다. 트렌디한 음악에 담긴 많은 감성 자극들로 인해서 감정적으로 활성화되고 감정이입이 일어나서 순간적으로 심리적 각성과 감정적 설득이 일어나기 때문인 것 같다.

다양한 음악들이 도움이 되지만 출근길에 다양한 창의적인 일이 기다리고 있고 충분히 창의적 각성이 될 수 있는 여건이 아니라면 감성적인 음악과 빠른 템포에 빠져보는 것이 즉각적인 좋은 자양분이 될 것이다. 간접경험으로 의식상태가 빠르게 전환되는 것이다.

이밖에도 감성적인 자극을 받을 수 있는 다양한 활동들이 있다. 책, 음악, 전시회, 콘서트, 모임 등 창의성이 응축된 작품들을 접함으로써 감성적인 공감을 무의식적으로 불러일으키고, 이는 창의적인 활동을 활성화한다.

또한 충분히 감성적으로 일상을 살고 있는 사람들을 만나는 것도 좋다. 좀더 릴렉스되고 감성이 풍부한 사람들과 감성적인 대화를 나누고 심리적인 자극을 마음을 열고 받아들여라. 이때 마음을 열고 나의 감정을 오픈하는 것이 심리적인 공감을 얻을 수 있는 포인트가 될 수 있다.

지금은 작고하신 화려한 컬러와 독특한 디자인으로 유명한 세계적인 디자인거장인 알레산드로 멘디니씨를 만난 적이 있다. 작은 체구에 소년같은 호기심이 가득한 표정을 짓고 계셨는데 어떻게 크리에이티브할수 있냐는 물음에 어렸을 적 어머님이 수학선생님이셨는데 수학숙제를 어머님이 다 풀어주셔서 수학을 할 필요가 없었고, 대신 늘 자연의 색을 느끼면서 살아왔기 때문인거 같다고 미소를 지으셨다. 자연을 잘 느끼고 감성적인 마음으로 마음껏 창의성을 표현하며 사는 삶의 태도가 중요한거 같다.

CREATIVITY

19

간 절 함

새롭고 창조적인 것을 원하는 마음이 간절할 때

그것은 반드시 오고야 만다

CREATIVITY

19

간 절 함

새롭고 창조적인 것을 원하는 마음이 간절할 때

그것은 반드시 오고야 만다

간절히 원하는 것이 있을 때 믿을 수 없는 우연을 자주 만나게 되는 경우를 경험한 적이 있을 것이다.

구하고 찾으면 그 간절함이 연결되어 움직여서 인연이 내게로 온다. 왜냐하면 나의 무의식과 의식이 간절하게 그것을 끊임없이 찾고 있기 때문에 눈에 보이지는 않지만 원하는 것과 연결하게 되는 우연을 만들어 내는 것 같다.

진짜 진정성을 가지고 간절하게 그것을 찾고 있기 때문에 만나게 되고 찾아오게 되는 것 같다. 법칙이나 이론이라고 할 수는 없지만 오랫동안 창의적인 일을 하면서 경험적으로 깨닫게 된 부분이다.

오히려 그런 간절함을 가질 수 있다는 것 자체가 창작에의 열정과 정성에서 오는 것이고 그러한 열정과 감정들이 창의적인 순간을 이끌어 낸다고 믿는다. 불행한 것은 창의적인 활동을 하면서도 그런 간절함 없이 지루하게 되풀이되는 루틴을 보내는 것이다.

이때는 마음을 리셋하여 행동보다 먼저 간절히 이루어내고 싶은 것에 집중하여 그 간절함이 이끄는 방향으로 행동하는 것이 필요하다. 종교를 가지지 않은 사람이라도 간절하게 원하는 것이 있을 때 기도를 하게 된다. 원하는 것에 집중하고 구하고 기도할 때 우리의 마음에 간절함이 새겨지고 그 간절함은 우주와 연결되어 우리가 원하는 것과 연결되거나 다른 방식으로 연결되어 의식하지 못한 사이 다른 모습으로 찾아 온다.

간절히 원하는 것이 있다는 것이 이루어내기 힘든 상황일 수 있지만 한편으로는 간절하게 원하는 것이 있다는 것 자체가 행복한 것이기도 하다는 것을 우리는 알고 있다.

원하는 것이 있다는 것이 우리를 움직이며 무언가를 만들게 하는 강력한 동기가 되기 때문이다. 지나고 나서 돌아보면 간절히 원하던 것을 위해 노력하는 순간이 힘들지만 제일 행복하고 무언가를 창의적으로 이루어낸 시간이었다.

CREATIVITY

20

혼자가 된다는 것

떨어져 있을 때, 거리를 둘 때, 혼자일 때 우리는 창의적이 된다

CREATIVITY
20

혼자가 된다는 것

떨어져 있을 때, 거리를 둘 때, 혼자일 때 우리는 창의적이 된다

혼자인 것을 두려워하지 말고 즐겨라. 날 때부터 우리는 마음껏 창의적이었다. 사회적인 제약이 없이 혼자가 되는 시간, 어릴 적부터 지니고 있던 창조성은 무의식적으로 고개를 든다.

또한 주변의 사회적인 일들이 제로가 되는 시간과 공간을 확보하면 오롯이 집중할 수 있는 시간이 주어진다. 새로운 것을 시도할 때

모두가 익숙한 것을 깨기를 원치 않을 수 있다. 당연하다. 모두가 내게 등을 돌릴 때 가장 창의적인 것이 나올 수도 있다. 불안해서 내가 외면하고 못 알아보지 않는다면 말이다.

창의적인 순간을 위해 내가 먼저 혼자가 되어 찾아오는 창의적인 순간을 불안해하지 말고 즐길 수 있다면 더 많은 창의성을 찾을 수 있을 것이다. 늘 외톨이가 되는 것은 곤란하지만 연결감을 느끼면서도 창의성에 몰입할 수 있는 시간을 갖는다면 더 풍성한 표현의 시간을 가질 수 있고 관계도 더 건강하고 발전적일 수 있을 것이다.

혼자만의 시간 속에서는 나와 작품만이 서로 마주한다. 작품과 함께 호흡하며 마음 깊은 곳에서 울리는 창의성을 표현할 때 많은 사람들이 공감할 수 있는 작품을 만들게 되고 그 결과 생산적이고 창의적으로 사람들과 소통할 수 있게 될 것이다.

많은 사람들과 많은 관계들과 많은 것들에서 벗어나 혼자인 시간과 공간을 확보하라. 내가 세상에 셔터를 내리는 순간, 그동안 감각하고 경험했던 모든 것들이 나를 둘러싸고 찾아와 나를 두드리며 새롭게 모습을 드러낼 것이다. 자발적인 고립을 통해 내가 원하는 방식으로 세상과 연결되는 창의적인 시간을 가질 수 있을 것이다.

　정기적으로 세상의 문을 열고 닫고 하는 것을 반복함으로써 우리는 나를 잃지 않으면서 보다 창의적으로 세상을 만날 수 있다.

CREATIVITY
21

안정적인 유대관계를
경험할 때

좋은 유대관계를 깊이 있게 만들어라

CREATIVITY
21

안정적인 유대관계를
경험할 때

좋은 유대관계를 깊이 있게 만들어라

좋은 유대관계는 안정감과 긍정감을 주어 창작활동에 자극을
불어넣는다. 더 좋은 사람이 되고 싶고 더 긍정적인 감정을 표현하고
싶은 마음은 창작 의욕을 높이고 많은 표현을 하게 한다. 신뢰할
수 있고 안정된 관계는 밝고 긍정적인 표현을 하게 하고 창의적인
순간을 지속시키고 행복감을 표현하고 싶은 욕구를 증가시켜 많은
시간을 창의적인 긍정감으로 고무되게 만든다.

우리가 좋아하는 작가들의 작품세계를 볼 때 그 작가의 정점이라고 할만한 작품들 중에는 연인이나 가족 간의 좋은 유대관계가 바탕이 되어 표현이 풍부하고 창의적인 내용들이 많음을 작품과 전시회들을 통해 경험한다. 물론 유대관계가 소실되거나 흔들릴 때도 감정을 담은 많은 작품들이 있지만 새로운 도전의 창의성을 표현하는 작품들이 감정과 신뢰의 유대관계가 단단할 때 만들어진 것이 많은 것도 우연이 아니다.

살아가면서 우리는 많은 관계를 경험하게 되는데 관계에서 오는 만족감은 그 관계에 충실할수록 더 커진다. 관계 속에서 살아가는 우리들이 서로 신뢰하고 알아주고 사랑하는 관계를 가질 수 있다면 보다 자신있게 창의성을 표현할 수 있는 힘을 갖게 될 것이다.

우리의 감정적인 자원도 제한되어 있기에 자신을 이해해주고 자신이 잘 이해하는 사람들과 나누는 깊이 있는 유대관계는 우리에게 깊은 안정감을 줌으로써 행복감을 느끼게 할 뿐 아니라 행복을 줄 수 있는 사람이 되게 한다.

이때 이러한 감정은 더 좋은 것을 만들게 하고 더 나은 세상을 만들기 위한 창의성을 발동하게 한다. 안정적인 유대관계를 통해 이러한 감정을 지속시키고 풍부하게 느껴서 그러한 감정을 창의적으로 충분히 표현하고 또 나누라. 행복감이 전염될 것이다.

CREATIVITY
22

다른 언어를 배울 때

외국어를 배우는 어려움이 즐거움으로 변하는 순간
창의성을 느낄 수 있다

CREATIVITY

22

다른 언어를 배울 때

외국어를 배우는 어려움이 즐거움으로 변하는 순간

창의성을 느낄 수 있다

　모국어로만 오랫동안 생활하다가 새로운 언어를 배우면 생각 구조나 표현이 더 확장되는 것을 느낄 것이다. 소극적인 성격도 다른 언어를 배움에 따라 적극적으로 변할 수 있고 감성적인 사람도 이성적인 사고를 하게 되기도 하고 그 반대이기도 하다. 생각을 표현할 수 있는 사고와 언어 도구가 더 다양해짐에 따라 표현이 더 확장되는 것이다.

언어에 따라 주어와 동사, 명사의 구조가 다르고, 다른 언어 구조를 학습하는 것은 다른 생각 구조를 더하게 되기 때문에 생각의 영역이 확장되고 생각의 도구들이 많아지는 것과 같다.

예를 들면 한국어는 주어 목적어 동사의 구조로 되어 있는데 영어는 주어 동사 목적어의 구조로 되어 있다. 무의식적으로 계속 반복되는 언어는 그 민족의 우선순위에 따라 주어, 목적어, 동사의 순서가 달라짐을 알 수 있다. 언어는 사고를 하는 기본 재료이기에 생각할 수 있는 다른 언어를 추가하면 생각의 구조도 확장됨을 경험할 수 있다.

나는 오랫동안 영어를 잘 하지 못했다. 듣는 것이나 말하는 것이나 모두 서툴렀다. 그러던 중에 미국에서 공부할 기회가 있어 영어를 공부하게 되었는데 영어를 조금 익숙하게 하다 보니 성격이나 표현방법이 달라져서 영어를 말할 때는 내가 아닌 것처럼 느껴지곤 했다. 보다 적극적으로 표현을 하고 행동하게 되었는데 내가 아닌 다른 나를 발견한 것 같았다. 그리고 그 경험이 아주 신선했다.

영어를 못한다고 생각한 것이 그동안 큰 선입견임을 알게 되었고 또 다른 언어를 학습하고 외국 사람들과 같이 대화하면서 기존 언어구조와 새로운 언어구조가 더해지면서 새로운 사고와 표현이 창의적으로 가능해진다는 것을 알게 되었다.

　외국을 여행할 때 현지인들과 현지어로 대화하다 보면 그들의 생각과 감정에 쉽게 동화되어 새로운 감정과 생각이 떠오를 때가 많다. 새로운 언어가 익숙해지면 뇌에 새로운 자극이 주어지게 되고 더 창의적인 모드로 세상을 경험하게 된다.

CREATIVITY
23

다른 사람의 이론에서 벗어나
나의 경험으로 이론을 만들라

경험을 이론으로 재구성하자

CREATIVITY

23

다른 사람의 이론에서 벗어나 나의 경험으로 이론을 만들라

경험을 이론으로 재구성하자

다른 사람이 만든 이론들만 너무 많이 학습하다 보면 고정관념이나 도그마에 빠져 생기 없는 인생을 살게 된다. 이론을 학습한 만큼 적용해보고, 나만의 규칙을 더하거나 나의 경험을 기반으로 기본 이론을 응용하여 나만의 이론을 만들어라. 남이 만든 법칙에 괜히 나를 설득하여 맞출 필요는 없다. 규칙에서 벗어나 나의 경험들을 복구하여 새로운 룰과 이론을 만들어라. 그리고 공개적으로 알리고 법칙화 하라.

　법칙을 적용하면서 수정해가라. 새로운 경험은 선물과 같다. 마음의 소리를 따라 경험하고 경험을 표현해내라. 그 중에 인상적인 경험을 리디자인하라.

　다른 사람이 만든 룰에 안주하는 대신 나만이 느끼는 불편함을 발견하고 해결하라. 루틴을 반복하지 말고 규칙을 깨뜨리고 관습에 도전하여 나의 경험을 이론으로 재구성하자.

　이를 위해 좋은 습관을 가지는 것이 좋다. 좋은 습관의 선순환으로 나만의 루틴을 찾아라. 습관은 의식하지 못하는 사이 되풀이 되는 것이다. 이러한 습관이 좋은 것만으로 되풀이 된다면 선순환이 계속될 것이다.

　창조하기에 좋은 루틴을 만들라. 나에게 가장 적절한 시간을 찾아 자고 일어나고 작업하기 좋은 시간을 찾아내어 패턴을 되풀이 하자. 그래서 좋은 루틴을 기억하여 되풀이 하면 습관적으로 창조적인 루틴이 만들어진다. 처음에는 좀 강제적으로 루틴을 적용하다가 차츰 나에게 가장 적절한 루틴으로 습관화 해나간다.

예를 들어 산책을 한다든가, 좋은 콘텐츠를 일정 시간 본다든가 자극을 받을 수 있는 사람들과 루틴하게 만난다든지 하는 것이다. 일정 시간에 책을 읽고 일정 시간 동안 그 내용을 떠올려본다든가 요약을 해본다든가 하는 것도 좋다.

이렇게 하다보면 나만의 룰이 생기고 이 룰에서 규칙성을 찾아내어 이론화해볼 수 있다. 다른 이론들과 다른 나의 이론을 만들고 또 내가 깨뜨려 다시 세워보는 동안 창조적인 파괴와 혁신을 지속하면 좋은 이론을 세워갈 수 있을 것이다.

CREATIVITY
24

집단지성을 활용하라

나라마다 다른 집단 무의식이 그 민족에게 축적되어 있다

CREATIVITY

24

집단지성을 활용하라

나라마다 다른 집단 무의식이 그 민족에게 축적되어 있다

나라의 경계는 허물어지고 있지만 그 민족만의 무의식적인 정서는 같은 경험을 반복적으로 집단적으로 하면서 그 민족 특유의 민족성을 형성하면서 계속 이어져 왔다.

각 개인에게 고유함이 있듯이 글로벌하게 창의성을 펼치는 순간에는 그 민족만의 집단 무의식, 즉 집단지성이 큰 역할을 하게 된다.

우리 각자는 고유함을 가지면서도 그 지역만의 그 민족만의 독특한 경험에서 온 집단지성을 가지고 있다. 글로벌리즘 때문에 집단 무의식은 점점 옅어지지만 집단지성을 잘 활용하여 독특한 지성의 세계를 구축한다면 세계적인 창의성을 펼칠 기회가 올 것이다.

그 민족만의 고유의 집단지성은 고정관념으로 보이기도 하지만 전체 민족별로 보면 그 민족들만의 특유의 경험은 집단 무의식으로 큰 가치가 있다. 이러한 집단 무의식으로 형성된 집단지성을 잘 활용한다면 그 민족에 속한 나의 창의성에 도움이 되는 고정관념들을 추출하여 독특한 창의성을 발휘할 수 있게 된다.

점점 더 세계화되어 가는 세계에서 민족들마다 가지고 있는 고유의 무의식들을 관찰하고 이해함으로써 독특한 세계관의 집단지성들을 창의적인 관점에서 활용할 수 있다면 자유로우면서도 통용성이 넓은 집단지성의 공감을 바탕으로 세계적인 공명을 울릴 수 있는 작품을 만들 수 있을 것이다.

지금은 작고하신 박서보 작가님과 작가님의 묘법에 대해 얘기를 나눌 기회가 있었다. 작가님은 단색화의 거장으로 오랫동안 단색화 작업을 해오셨는데 작품을 통해 작가의 감정이나 생각을 여과없이 표현하는 것보다 작품을 통해 보는 이들이 자신의 감정을 투영해서 치유받는 것이 중요하다고 생각하셔서 오랜 시간의 수련작업을 거친 묘법을 통해 단색화 작업을 하신다고 하였다.

그러한 작품 의도는 한국의 단색화가 세계적인 공명을 얻는데 큰 역할을 하였다고 생각된다. 작품의 가치를 그 작가와 공감할 수 있는 집단에만 두는 것이 아니라 작품을 보는 모든 민족과 사람들이 작품을 통해 자신의 감정과 마음을 투영해 볼 수 있기 때문에 창의성의 세계가 무한 확산될 수 있는 것이다.

이렇듯 고유의 집단지성 아래 공명할 수 있는 세계적인 집단지성을 발견하여 표현해냄으로써 창의성은 언어와 경험을 넘어 무한한 세계를 만들어 나간다.

CREATIVITY
25

유능감과 즐거움

유능감을 느끼며 몰두하다 보면 극도의 즐거운 순간이 찾아온다

CREATIVITY
25

유 능 감 과 즐 거 움

유능감을 느끼며 몰두하다 보면 극도의 즐거운 순간이 찾아온다

자전거를 처음 탔을 때는 누구나 균형을 잡기 힘들었겠지만 시간이
지나면 유능감을 느끼면서 원하는 대로 의식하지 않고 자전거를 다룰
수 있게 된다. 창의적인 순간도 우리가 가장 유능함을 느끼는 그
순간에 찾아온다. 반복적 노력을 통해 얻어진 유능감이 단순히 행동
하는 것을 넘어 유능하게 자유자재로 그 일을 하게 함으로써 우리는
마음껏 자유롭게 유능감을 즐기며 창의적인 경험을 펼칠 수 있다.

반복적으로 만들어진 연습과 경험이 극도의 유능감을 갖게함으로써 우리는 전문가가 되고 마음껏 베리에이션Variation을 통해 궁극의 유능감을 즐길 수 있는 상태에 이르게 된다. 무언가를 막힘없이 술술 잘한다는 것, 그것은 대단한 성취감과 창의적인 경험을 하게 해준다.

다른 사람들은 왜 저렇게 일만 하나, 뭘 그렇게 열심히 하나 하면서 놀지 않고 뭔가에 몰두해 있는 모습을 낯설어 하지만 창작의 기쁨으로 클라이맥스를 경험하고 있는 사람에게는 잘 들리지 않는다. 일종의 무의식적인 열반, 창의적인 몰입상태에 도달하면 더 이상 일이 아니라 놀이이며 어떤 즐거움도 그 순간을 대체하기 힘들다.

이 순간에는 엔돌핀이 지속적으로 나오고 표현의 범위도 놀랄 만큼 넓어져 자기도 생각하지 못한 놀라운 표현들을 계속할 수 있다. 또한, 시간 가는 줄도 모르고 일상에서 벗어나 창의적인 몰입에 빠지게 되고 즐거움과 기쁨을 즐기게 된다.

이 기간에는 어떠한 논리적인 계산이나 이익이 눈에 들어오지 않고 이러한 몰입의 즐거움이 더 크기 때문에 창의적인 즐거움을 계속 지속시키려는 쪽으로 선택을 하게 된다. 예를 들면 퀄리티

높은 작품을 위해 재료비나 인건비 등을 생각지 않고 그 이상을 지속적으로 쏟아 부어 운영에서 적자를 내는 경우도 있다. 그런데도 자발적인 의지로 크리에이티브Creative에 계속적인 투자를 하고 보이는 실패에는 개의치 않고 비슷한 상황을 지속시키며 인지를 못하는 경우도 있다.

  그만큼 창의적인 몰입의 즐거움은 다른 즐거움을 넘어서 자신도 이해하지 못할 만큼 놀라운 시간과 물적 투자를 감행하게 하고 아주 늦게서야 약간의 후회만 하게 만든다. 그 상태가 오랫동안 계속된다면 많은 후회를 하게 되겠지만 말이다.

  이런 유능감의 순간은 스키를 처음 배웠을 때 디테일한 기술을 모르고 무조건 내려오는 활강만 위험하게 계속하다가 익숙하게 스키를 타게 되었을 때 정상에서 요리조리 원하는 대로 상쾌함을 느끼며 내려올 때 느끼는 유능감의 절대 즐거움에서도 경험할 수 있다.

CREATIVITY

26

취 향

취향이 깊어지면 창의적인 세계를 이루게 된다

CREATIVITY
26

취 향

취향이 깊어지면 창의적인 세계를 이루게 된다

우리 사회는 핵개인의 사회로 나아가고 있고 개인마다의 취향과 가치관이 중요해지고 있다. 자기만의 취향을 내세우는 것이 인간다운 일이며 자기다운 일이다. 자기 취향을 오래도록 쌓다 보면 그것에서 힘이 나오고 자기다움이 나오며 다른 무언가에 대체되지 않고 오래도록 가치를 가진다는 것을 깨닫게 된다. 취향의 표현, 취향에의 몰입이 비슷한 취향을 가진 사람들과 팬덤을 형성하고 서로 전염시키며 깊이 있는 유대관계를 이룸으로써 행복감을 높여준다. 아무에게도 대체될 수 없는 나만의 취향을 자가 발전하며 창의적인 순간을 맛보라.

　낮은 연차일 때 통신제품의 카피를 쓰게 된 적이 있었다. 대기업의 혁신적인 실험팀에서 만들어낸, 당시로서는 획기적인 삐삐 제품이었는데 통신기능 뿐 아니라 전자제품을 제어할 수 있는 특수기능을 더 가지고 있었다.

　이 제품의 기능을 차별화시키고 극대화하기 위해 이 제품을 가진 사람의 특징을 의인화하여 콧대, 성깔이라는 카피를 썼는데 반응이 무척 좋았다. 젊고 앞서나가는 사람들을 타겟으로 하였기에 아주 높은 콧대를 가진 사람들의 성향과 취향을 반말로 써내려 갔는데 당시 통신광고나 여타 광고에서 획기적인 시도였다.

　왜냐하면 당시에는 광고에서 반말을 거의 쓰지 않는 분위기인데다, 고객에게 반말을 쓰는 것은 제품을 팔기 위해 위험한 것으로 암묵적으로 동의되어 있었기 때문이다. 하지만 젊고 취향이 분명한 타겟들을 겨냥하였기 때문에 그들의 혼잣말 같은 독백을 반말로 표현하는 것이 자연스럽다 생각했고 주변의 크리에이터 분들과 클라이언트들도 이를 반대하지 않고 신선하다며 환영해 주었다.

덕분에 이 광고는 크게 히트했을 뿐 아니라 많은 상을 휩쓸었고 당시 광고의 화법전환을 가져 오기도 했다. '당신에게 필요한 무언가를 만들었습니다'라는 식의 간접 존대 화법에서 '나는 이런 사람이고 이런 취향인데 이렇게 잘난 나에게 맞는 무언가가 있다면 이거야' 식의 직접 대화 화법으로 바꾸게 된 창의적인 광고가 된 것이다. 주어가 바뀌어 타겟에게 권하는 것이 아닌 타겟이 주체가 되어 "내거야. 나는 이렇게 느껴" 이런 식으로 화법을 전환하는 계기가 되었다.

이러한 창의성은 개인의 취향과 라이프스타일, 화법을 그대로 반영하려는 창의적 아이디어에서 시작되었다.

CREATIVITY
27

멀티태스킹에 대한 약간의 오해와 진실

멀티태스킹보다 한가지 작업에 집중하자

CREATIVITY

27

멀티태스킹에 대한
약간의 오해와 진실

멀티태스킹보다 한가지 작업에 집중하자

멀티태스킹은 오랫동안 여러 가지 오해를 받아왔다. 여러 가지 일을 동시에 수행하는 것은 창의성을 해칠 수 있다고. 한 가지 일에 몰입하는 것이 더 정교하고 깊이 있는 처리를 하게 함으로써 창의성에 도움이 된다는 것이다.

하지만 멀티태스킹이 무조건 창의성을 해치는 것은 아니다. 범주는 다양해도 줄기가 같은 것을 동시에 한다면 활성화되어 있는 창의적 생각이 다른 생각들과 연결되면서 다른 작업에도 긍정적인 효과를 주기도 한다. 강철 체력으로 여러 가지 일을 집중적으로 처리할 때 유능감은 극대화된다. 보다 멀리, 보다 빨리 같은 올림픽 캐치프레이즈처럼 유능하게 많은 일을 능숙하게 처리하면서 같이 수행하고 있는 일들이 서로 간섭하지 않고 좋은 연결을 만들 때 유능하면서도 창의적인 순간에 이르게 한다.

하지만 이를 계속 지속하는 것은 나라는 도구를 빠르게 소진하게 함으로써 무의식적으로 비슷한 수준의 창의성으로 일을 해치우려는 경향을 만들어내게 된다. 따라서 과제에 따라 멀티태스킹은 유능한 창의성을 맛보게 하지만 지속적으로 좋은 창의성을 일으킬 수 있는 확률은 멀티태스킹을 하지 않을 때 더 안정적으로 일어난다. 창의성은 해치워서 끝내는 것이 아니라 즐기면서 지속하는 데 있기 때문이다.

지속적인 생각의 집중과 체력을 한 가지에 투자하는 것은 더 깊은 정서적인 교감과 깊이 있는 생각의 연결과 파생적인 아이디어들을 창조해낸다. 그래서 장기적으로 보면 당연히 멀티태스킹은 소모적이지만 집중적인 생각은 창의적인 아이디어를 생산적으로 지속시키므로 유리할 수 있다.

가능하다면 멀티태스킹보다 한 가지 작업에 집중하라. 한 가지 작업에 집중할 때 다음 과제와 나머지 과제들을 더 잘 수행할 수 있는 본질적인 방법들과 생각들을 터득함으로써 더 좋은 결과를 가져올 것이다.

이는 생각의 레버리지 같은 것이다. 여러 생각들을 동시에 다 잘하려고 하면 체력과 생각의 소모로 인해 결과물이 평준화될 수 있다. 반면에 가장 잘 하는 것에 투자하고 나머지는 그 결과로 얻은 아이디어들로 파생된 유능한 생각들을 가지고 다음 과제에 임함으로써 더 좋은 결과를 지속적으로 발전시켜 나갈 수 있다.

멀티태스킹을 통해 유능한 도구로서 소모되느냐 창의적인 자가발전을 하는 창의적 주체가 되느냐는 선택의 문제이다.

CREATIVITY
28

벤치마킹을 통한 패턴인식

문제해결의 패턴을 발견하라

CREATIVITY

28

벤치마킹을 통한 패턴인식

문제해결의 패턴을 발견하라

어떤 일을 시작할 때 비슷한 카테고리의 벤치마킹은 필수이다. 벤치마킹은 어떻게 그 일에 접근했고 어떤 결과를 낳았으며 배울 점과 단점 같은 식의 자료수집의 과정이다. 아주 창의적인 작업일 때는 오히려 벤치마킹 작업이 창의적인 사고를 제한해버리기도 한다.

하지만 대부분의 작업에서 이 벤치마킹을 통해 비슷한 범주의

프로젝트들이 어떻게 문제해결을 했는지를 살펴보는 것은 머리속에 비슷한 패턴과 모델링을 빠르게 심어줌으로써 암묵적으로 다음 프로젝트에 적용할 수 있는 대략의 지도를 얻는 것과 같다. 이 과정에서 여러 가지 사례들을 체크해 나가면서 무의식적으로 모방을 통해 학습이 빠르게 효과적으로 일어나기도 한다.

 이러한 과정에서 가장 효과적으로 얻을 수 있는 것은 패턴을 내재화하는 것이다. 우리가 아는 레오나르도 다빈치, 피카소 같은 저명한 화가가 과거와 단절된 채로 작업했다면 그와 같은 대작이 나올 수 있었을까? 아마도 다빈치의 작품 안에는 이전의 수많은 다빈치들이 있었을 것이다. 영감을 준 많은 작가와 작품들, 기존의 많은 경험들이 레오나르도 다빈치와 피카소의 방대한 자료수집 속에서 수많은 연결과 활성화를 통해 창의적인 작품으로 나왔다고 보는 것이 합리적일 것이다.

 창의적 작업에서 벤치마킹을 거치는 것은 작업 스타일에서 귀납적 스타일에 가깝다. 만일 이론이나 개념에서 시작된 작업이라면 연역적 스타일인데 이는 어떤 것이 먼저라 할 것 없이 작업결과에 영향을 미친다.

논문을 쓰려 할 때 떠오른 아이디어를 키워드로 관련 논문들을 검색하여 논문의 개요를 만들고 가설을 설정한다. 이러한 가설이 나오게 된 기존 논문들을 통해 가설의 뿌리를 근거로 내세우고 이 가설을 검증하여 결론을 새롭게 이론화한다. 이 과정에서 다른 연구자의 논문을 벤치마킹하고 관련 분야의 이론의 패턴을 인식하는 것은 필수적인 과정이다.

다른 창의적 작업들은 아이디어를 연역적으로 펼치기도 하고 귀납적인 방법으로 펼치기도 하지만 아이디어를 패턴화시키기 위해 벤치마킹 작업을 무의식 또는 의식 중에 수행하게 되는 것이 일반적이다. 벤치마킹을 하는 것은 열린 마음으로 패턴을 인식하고 사고의 폭을 넓히는 과정이며 이 과정에서 재료들을 자유롭게 편집하고 재구성하고 재결합하면서 새로운 창의적인 아이디어가 생겨나기도 한다. 창의적인 작업자의 벤치마킹은 일상에서 끊임없이 일어나며 생활 속에서 경험하고 수집한 아이디어가 작업시에 활성화되고 반영되면서 새로운 조합과 패턴을 만들어낸다.

CREATIVITY
29

그만두지 않고 계속 하기

계속 무언가를 할 수 있다면 누구나 창의적인 천재가 될 수 있다

CREATIVITY
29

그만두지 않고 계속 하기

계속 무언가를 할 수 있다면 누구나 창의적인 천재가 될 수 있다

1만 시간의 법칙이라는 것은 대부분의 사람들에게 진실이다. 문제는 무언가를 지속적으로 할 수 있는 환경과 성향, 그리고 간절히 원하는 것인가에 달려있다. 간단히 말해, 계속 무언가를 할 수 있다면 누구나 창의적인 천재가 될 수 있다는 것이다.

탁월한 창의적인 작업을 해낸 사람들 중에는 대를 이어서 했거나 부부가 함께 했거나 아주 어렸을 때부터 했거나 뒤에서 끊임없이 서포트한 누군가가 있거나 희생한 가족들이 있는 경우가 많다.

평범함보다 탁월함은 이렇게 평범한 사람들이 모여서 협력했거나 역할 분담을 했거나 아주 일찍부터 시작했거나 해서 탁월해지는 경우가 많은 것이다. 오랫동안 집중하거나, 많은 사람이 같이 하거나, 경험을 전수해 준 사람이 있거나, 탁월한 트레이너가 함께 할 때 누구나 탁월해지고 창의적인 결과를 만들어낼 수 있다. 중간에 포기하거나 그만두지 않는다면 말이다.

우리는 흔히 계속 그것을 했더라면? 하는 후회에 사로잡히기도 한다. 새로운 것에 도전했다가 다시 돌아와 큰 일가를 이루기도 한다. 짧은 인생에서 여러 분야에서 탁월한 성과를 거둔 사람들도 많지만 대부분의 만족스런 성과는 계속 그만두지 않고 그 자리에 있었던 사람들이 손에 쥐는 경우가 흔하다. 무언가를 계속하는 것, 이는 아주 단순하면서도 실천하기 어려운 창의성의 진실이다.

나는 전문적인 일을 하다가 창업했는데 처음에는 경영이라는 것을 전혀 이해하지 못했다. 그래서 회사에서 직원으로 일하듯이 일만 했는데 경영은 익숙하지 않고 처음 해보는 일인데다 따로 코치를 받지도 않았고 관심도 적어서 어렵게 느껴질 때가 많았다.

그런데 클라이언트 중에 젊은 CEO가 있었는데 경영에 대한 식견이 대단했다. 그 이유를 물어보니 아주 어렸을 때부터 아버님이 하는 공장에 나가 여러 가지를 보고 듣고 했단다. 정말 어렸을 때부터 경영수업을 한 것이다. 확실히 무언가를 계속 오랫동안 포기하지 않고 하면 남다른 창의적인 단계에 이르게 되는 것 같다.

CREATIVITY
30

뭔가 더 좋은 것은 없을까

쉽게 만족하는 것도 행복에 자주 이르게 하지만

조금씩만 만족의 수위를 높여보자

CREATIVITY
30

뭔가 더 좋은 것은 없을까

쉽게 만족하는 것도 행복에 자주 이르게 하지만

조금씩만 만족의 수위를 높여보자

　이미 좋은 것이 있다면 뭔가 좀 더 좋은 것은 없을까 하며 만족의 수위를 조금씩 높여보자. 우리의 삶은 그렇게 조금씩 더 좋은 것은 없을까 할 때 조금씩 나아지며 앞으로 나아가게 된다. 뭔가 더 좋은 것은 없을까 라는 이 말은 창의성을 발휘하는데 있어 가장 강력한 동기가 될 수 있다.

주니어로서 일할 때 열심히 뭔가 만들어가면 상사가 뭔가 더 좋은 것은 없을까 하는 말에 절망하여 다시 또 돌아와서 더 생각해보고 또 생각해보곤 했다. 까다로운 상사나 클라이언트를 만나면 뭔가 더 좋은 것은 없을까가 끊임없이 되풀이 되어 정말 힘들고 포기하고 싶지만 덕분에 지나고 나면 창의적인 작품을 생산해내게 되고 이로 인해 만족을 얻게 되기도 한다.

이렇게 끊임없이 주변에서 뭔가 더 좋은 것은 없을까 하는 요구에 시달리다가 막상 자율적으로 간섭없이 창작을 하게 될 때는 뭔가 더 좋은 것은 없을까 하고 반문하다가 어느 정도 선에서 타협을 해버리고 말거나 별다른 좋은 생각이 안 나서 포기하고 내버려두는 작품들도 많다. 뭔가 완벽한 것을 만들어야 한다는 생각은 자신을 괴롭히고, 시작하지 못하게 하고, 시작해도 마무리를 못하게 한다.

하지만 뭐든 시작해보는 것이 좋다고 생각한다. 시작해서 과정을 주변에 공개하기도 하고 반쯤 완성해서 주변의 반응을 테스트해 보기도 하면 생각지 않았던 창의적인 생각들이 고개를 들어 좋은 곳으로 생각을 데리고 가기도 하니까.

일단 시작이 중요하고, 꼭 특별하지 않아도 진행해 보는 게 중요하다. 아무것도 하지 않으면 아무 일도 생기지 않고, 내일은 오늘과 같을 것이기 때문이다. 일단 시작하고 뭔가 더 좋은 것은 없을까 하고 조금씩만 부추겨보자. 약간의 자극을 받으면서 꾸역꾸역 앞으로 나아가다 보면 더 좋은 고지가 보일 것이다.

CREATIVITY
31

다른 분야를 통섭하라

전문성이 있는 사람들을 만나라

CREATIVITY

31

다른 분야를 통섭하라

전문성이 있는 사람들을 만나라

다른 분야의 전문가를 만나면 통하는 것이 있다. 그래서 다른 분야인데도 이해가 잘되고 자세한 기술이나 지식이 없어도 소통과 공감이 잘된다. 그 이유는 분야는 달라도 각자의 제련된 전문성이 서로를 연결해주고 존중감을 가지고 소통하기에 대화가 잘되기 때문이다.

또한 미지의 영역에 대한 호기심을 전문성에 기반을 두고 빠르게 교환하고 서로가 궁금해 하는 부분에 대해 깊이 있는 대화를 나눌 수 있기 때문이다.

그래서 코드가 잘 맞는, 전문성이 있는 사람들을 만나는 것은 어떤 만남보다 행복감을 준다. 또한 나의 전문성도 존중을 받으며 깊이 있는 대화를 나누니 그 시간 자체가 창조적인 시간이 된다. 이러한 모임을 같이 하는 전문가들의 대화에서 시너지가 나면 영상이나 책에서 얻을 수 없는 직접적인 창의적 경험을 하게 되고 코드가 맞는 사람에게서 큰 영감을 받을 수 있다.

다른 분야의 깊이 있는 전문성을 가진 이들과 만날 수 있는 기회에 많이 참여하라. 모임을 통해 인사이트를 교환하고 창의성을 자극하는 사람들과 함께 시간을 보내라.

또한 창의적인 사람들과 협력하라. 창의성이 꽃피는 순간이란 나와 비슷한 생각의 깊이와 시간을 보낸 사람들과의 협력이다. 간단한 몇 마디를 주고받는 것만으로 깊이 있는 점화 효과를 일으키고 아이디어에 화룡점정을 제대로 찍을 수 있다. 때로 결정적인 아이디어를 상대방이 내주기도 한다. 카피라이터가 디자이너에게 디자인 아이디어를, 디자이너가 카피 아이디어를 카피라이터에게 주는 예는 너무 많다.

그 분야의 그루가 툭 던진 아이디어에서 엄청난 실마리를 찾는 경우도 많다. 그루의 아이디어 네트워크는 여러 방향으로 활성화되어 있고 연결되어 확산적인 사고가 가능하기 때문이다. 워런 버핏과의 점심의 가치가 높은 것도 그 때문일 것이다. 생각에 전염될 수 있는 사람들과 협력하여 창의적인 아이디어를 배가하라.

CREATIVITY
32

심 심 함 을 감 각 하 라

민감성, 호기심. 자율성, 생동감을 경험하라

CREATIVITY

32

심 심 함 을 감 각 하 라

민감성, 호기심. 자율성, 생동감을 경험하라

창의성은 어느 순간에 고개를 들까. 뭔가 지금 이대로에서 심심함을 느낄 때이다. 기존의 것들이 더 이상 정보처리 되지 않는 익숙하고 편안한 것일 때 심심함을 감각하게 된다. 이러한 심심함에서 고개를 든, 새로운 것에 대한 호기심은 관심을 불러일으키는 것에 대해 관찰을 하게 하고 새로운 경험에의 동기를 일으킨다. 이때 무조건적인 호기심과 관심보다는 대상에 대해 민감성을 가지고 세세히 관찰해보는 것이 필요하다.

　호기심과 관심을 투자할 만큼 믿을만한지, 관여도를 높일 만큼 진짜일까 하는 것을 먼저 주의 깊게 본다. 민감하게 오감을 곤두세우고 경험하기로 결정하였다면 자율성을 발휘하여 경험하고 다루어 본다. 자유롭게 경험하는 것은 생동감 있는 감각을 깨어나게 하고 낯선 자극에 대해 개방적인 태도를 가지게 함으로써 적극적이고 주도적으로 정보를 처리하게 되며 이 과정에서 창의성이 생기게 된다.

　우뇌, 좌뇌 논쟁이 뜨거웠던 적이 있다. 우뇌와 좌뇌를 뚜렷이 나눌 수 있는 건 아니지만 확실히 우뇌를 많이 쓰는 동안 창의적인 새로운 생각들이 많이 생겨나는 것은 맞다. 창의적인 생각의 과정 동안 좌뇌, 우뇌를 골고루 쓰면서 집중적으로 창의적인 몰입에 들어서는 순간에는 우뇌를 더 많이 쓰게 될 것 같다. 창의적 과정은 아웃포커스, 펜포커스의 카메라 기술처럼 우뇌와 좌뇌의 자유자재의 아웃포커스, 펜포커스의 과정의 연속일지 모른다.

　우리는 일상에서 무수한 가능성을 바라본다. 가능성은 오늘과 내일을 이어준다. 오늘의 많은 가능성 중에 어떤 가능성에 초점을 맞추는 가에 따라 내일이 달라진다.

　매일의 삶에서 만나는 수많은 가능성과의 만남, 선택, 집중, 결과, 피드백의 무한한 가능성의 서클을 무한 반복하면서 바라보는 시점에 따라 다양한 각도로 인지되고 해석되는 다양한 가능성의 역동적인 순간이 창의성의 순간이다.

　새로운 것에 늘 깨어있고 창의성을 경험하는 생활을 하는 사람은 늘 별처럼 빛난다. 늘 익숙한 것에 머무르지 말고 호기심을 갖고 새로운 시각으로 세상과 만나라. 오감을 통해 신뢰할 만한 것들을 분별하고 받아들일 수 있는 민감성을 갖고 관찰과 경험을 통해 자율적으로 세상을 지각하라. 그 과정에서 생동감이 언제나 넘쳐날 것이다. 그런 삶이 빛이 되고 다른 사람들에게 빛을 줄 수 있는 창의적인 삶이다.

CREATIVITY

33

창 의 성 은 수 동 태 다

창의성은 무한도전의 과정에서 경험하는 무한의 수동태다

CREATIVITY
33

창 의 성 은   수 동 태 다

창의성은 무한도전의 과정에서 경험하는 무한의 수동태다

　창의성은 능동태일까? 내가 생각하기에 창의성은 수동태이다. 내가 능동적으로 바라는 것을 하고 내가 내 꿈을 만들어갈 때 창의성은 그 결과로 무한히 피어난다.

　우리는 누구나 직감으로 안다. 내가 모험을 계속하고 있는지, 편안함에 안주하고 있는지. 내가 바라고 원하는 꿈의 동아줄을 놓치 않을 때 우리는 계속 모험하고 새로운 돌파구를 찾아 도전한다. 하지만 어느 정도 이루었다고 생각하면 안주하고 편안함에 길들여져 꿈의 동아줄을 놓아버린다. 그 순간 일상이 반복되고 새로운 시각과 혁신은 사라져 버리고 지루함이 그 자리를 대신하게 된다.

꿈의 동아줄을 놓아버리지 말고, 그 꿈의 경계를 지날 때 새로운 꿈의 돌파구를 마련해서 모험을 멈추지 말라. 창의성은 꿈에 도전하는 무한도전의 과정에서 경험하는 무한의 수동태이기 때문이다. 내가 무한 능동태일 때, 내가 무언가를 새롭게 느끼고 경험할 때 그 결과로써 나에게 찾아오는 선물과 같은 것이 창의성이다.

물을 정성스럽게 증류기에 넣으면 액기스처럼 한 방울씩 떨어지는 수증기를 모아 만들어지는 증류수처럼 창의성은 정성스러운 원인이 있으면 당연히 따라오는 결과이다.

그러니 창의적인 순간을 찾아 어렵게 괴롭게 얼굴을 찌푸리며 고민할 필요가 없다. 내가 원하는 삶에 몰입하고 도전하는 동안 창의성은 언제나 나의 동반자가 되어 늘 깜짝 놀랄 선물처럼 주어질 것이다.

우리는 주의력이라는 한정된 자원을 가지고 있다. 우리가 원하는 것에 오롯이 우리의 주의를 집중하고 그 주의와 집중의 양이 임계치에 도달할 때 자연스레 질적인 변화를 일으켜 창의성으로 피어날 것이다.

이 양질변화의 과정에서 주의와 관심을 지속적으로 유지하게 하는 관심과 열정이 촉매 역할을 할 것이다. 우리가 좋아하는 것에 주의를 기울이고 열정적으로 몰입할 때 창의성은 언제나 우리에게 다가올 것이다.

창 의 성 에   관 한
개 념 과   이 론

점화효과(Priming Effect) : 시각적으로 먼저 제시된 단어가 나중에 제시된 단어의 처리에 영향을 주는 현상을 말하는데, 이러한 점화효과를 통해 연상의 활성화(Associative Activation)가 일어나 갑자기 떠오른 생각들이 뇌 속에서 폭포가 퍼지듯 연쇄적 연상 활동을 일으키며 많은 다른 생각들을 불러 일으키는 것

아하! 모먼트(Aha Moment) : 어떤 특정한 순간 갑자기 무언가를 깨닫거나 느껴 아하! 라고 외치는 순간

티핑 포인트(Tipping Point) : 작은 변화들이 모여 큰 변화를 가져오는 지점을 의미하는데, 여러 분야에서 중대한 변화를 가져오는 임계값을 의미

갖춤새 효과(Mental Set) : 어떤 문제를 너무 오랫동안 응시할 때 생겨나는 인지적 함정이며 이는 사고의 고착을 가져오는데, 문제를 해결할 때 과거에 수행했던 방법을 고수하며 다른 문제를 비슷한 문제에 적용하여 풀어가려는 경향

인지적 절약자(Cognitive Miser) : 주어진 자료를 합리적으로 종합해 논리적으로 판단하지 않고 가능한 한 심적 노력을 덜 들이면서 빨리 판단하고자 하는 성향

인지욕구(Need for Cognition) : 노력을 필요로 하는 인지적 정보에 대해 사고를 하려 하고 이를 자발적으로 즐기는 성향

인지종결 욕구(Need for Cognitive Closure) : 애매모호한 지식이 아니라 보다 명확한 지식에의 바램(Desire)이다. 즉 어떤 문제에 대한 명확한 답을 얻으려는 욕구로 혼동과 모호함을 피하려는 욕구이며 신속하게 결론을 도출하고 문제와 관련된 인지적 정보처리를 끝내려는 동기

인지종결지연 욕구(Desire to Postpone Cognitive Closure) : 낯선 정보를 무시하지 않고 방어적 판단을 줄이며 주의를 기울여 적극적으로 처리하려는 노력

인지의 유창성(Fluency) : 콘텐츠를 처리할 때 느끼는 주관적인 익숙함

비유창성(Disfluency) : 익숙하지 않은 콘텐츠를 처리할 때 노력을 더 하고 더 정성들여 정보를 처리할수록 정보를 더 잘 흡수하게 될 때 느끼는 긍정적인 어려움(Desirable Difficulty)

일탈(Divergence) : 독창성, 새로움이며 일반적으로 받아들이는 것 또는 기대하는 것에서 벗어난 정도

인 용 한 책 과 논 문

- 커뮤니케이션 핵심 이론. 커뮤니케이션 북스. 오미영, 정인숙

- 현대심리학의 이해. 학지사. 현성용

- 이미지 기반 소셜 미디어에서 브랜디드 콘텐츠의 전략적 애매모호성에 관한 연구 : 해시태그유무에 따른 효과, 의미유창성의 매개효과, 제품유형 및 포스팅 주체의 조절효과를 중심으로. 2019 이화여자대학교 대학원 박사논문. 박현정

- 이미지 기반 소셜 미디어에서 브랜디드 콘텐츠의 전략적 모호성 광고 효과에 관한 연구. 2019 광고연구. 박현정, 유승철

- 일탈적 광고는 왜 광고 효과가 있을까? : 브랜드명성과 광고 의미 이해의 조절된 매개효과를 중심으로. 2018 광고학연구. 박현정, 안서원

- 광고 콘텐츠의 창의성이 인지종결 지연욕구와 광고태도에 미치는 영향 – 비유창성의 매개효과를 중심으로. 2017 한국콘텐츠학회. 박현정, 유승철

- 소셜미디어 네이티브 광고의 감성 자극이 심리적 각성과 광고 효과에 미치는 영향에 관한 연구. 2016 방송통신연구. 안순태, 이하나, 박현정

- 제품속성과 소구방법의 일치여부가 광고효과에 미치는 영향 : 관여도의 조절효과를 중심으로. 2009. 연세대학교 언론홍보대학원 석사논문. 박현정

선물같은 창의성의 기쁨을 매순간 경험하기를 바라며

　어렸을 때 창의성은 어렵고 굉장한 노력이 필요해서 천재들이나 가질 수 있는, 평범한 사람들은 갖기 어려운 것이라고 생각했었다. 대학 때 사진을 찍으면서 어느 순간부터 무언가를 만들어내는 사람이 되고 싶다는 생각이 들어 창의적인 표현에 관심을 갖기 시작했고 창의적인 것이 자유롭고 즐거운 것이라 생각되었다. 일상에서 다른 사람들과 약간 다른 시각으로 생각하고 대화하곤 했는데, 사람들은 이런 나를 재미난 사람으로 보곤 했다.

　그렇게 창의적인 일에 관심을 갖게 되었고 사회생활을 하면서 그것이 일이 되자, 정말 매일 매일이 어렵지만 즐거운 창조의 시간이었다. 일상적인 재미보다는 늘 도전하고 모험하는 일상이 큰 즐거움이었고 그러한 시간을 거쳐 나온 창의적인 결과물들이 큰 만족감을 주었다. 어느 순간부터는 꼭 어떤 작품이 아니라 어떤 기획, 어떤 행동, 어떤 결정 자체가 창의적이라고 생각하게 되었고, 다니던 회사를 나와서 창업하면서부터는 사업이 가장 창의적인 일이라고 생각하게 되었다.

　요즘은 창의성이 또 다르게 생각된다. 일상에서 일어나는 일들을 꼼꼼히 민감하게 살피고 나의 시각으로 해석하고 전달하는 소소한 창의성이 내가 즐기는 요즘의 창의성이기도 하다. 이렇듯 창의성은 시간이 지남에 따라 다르게 경험되고 생각되지만 평생 관심을 가지고 늘 창의성이 따라오는 생활을 하려고 애썼고, 그런 과정이 나에게는 큰 기쁨이었던 것 같다.

창의성에 늘 관심이 있었기에 석사, 박사과정에서도 나의 논문 주제는 늘 창의성과 관련되어 있었다. 일을 할 때 번득이듯 생각났던 창의성이 연구과정에서는 실험을 통해 창의성을 검증하는 논문을 쓰느라 많은 어려움과 시행착오를 겪기도 했지만 궁금했던 창의성의 원리와 효과, 왜 창의성이 필요한지에 대해 깊이 있게 생각할 수 있는 기회가 되었다.

창의성이 압박과 어려움이 되기도 하고 기쁨이 되기도 했지만 다양한 상황에서 경험하고 연구하고 표현했던 창의성을 이번에 '창의성의 결정적 순간 33가지'로 정리하여 책으로 내게 되었다. 이는 나에게 큰 의미를 준다. 지난 30년간 직업의 세계와 연구의 세계에서 경험했던 창의성을 정리하고 표현할 수 있는 기회이기 때문이다.

창의적인 일을 하는 분들과 창의성에 관심 있는 많은 분들이 이 책을
통해 공감하고 새로운 경험과 다른 경험도 할 수 있으면 좋겠다.

　창의성의 순간들이 내게 준 희노애락 중에서 특히 선물처럼 찾아온
기쁨을 기억하며 여러분들도 그런 선물같은 기쁨을 많이 경험하기를
바란다.

CREATIVITY33

창의성의
결정적 순간
33가지

초판 1쇄발행 2024년 6월 29일

지은이 박현정
펴낸이 박현정
디자인 이은영, 양창혁
편집·교정 양후암
미디어 콘텐츠 박성배

펴낸곳 핑크플래닛
출판등록 2022년 3월 2일 제2022-000087호
주소 서울 강남구 압구정로 151, 901
전화 02-545-6304
이메일 insight@pinkplanet.co.kr
홈페이지 www.pinkplanet.co.kr

ISBN 979-11-978195-5-1 [13190]

핑크플래닛은 이해하기 쉽고 더 좋은 세상을 만들 책을 만들고자 합니다.
이에 함께하고자 하는 독자 여러분의 아이디어와 원고를 insight@pinkplanet.co.kr로 보내주세요.